하루 한 장 60일 집중 완성

교 교과도형

초5

E 2

합동과 대칭

에듀히어로
Edu HERO

"진짜 히어로는 우리 아이들입니다!"

에듀히어로는
우리 아이들이 밝고 건강한 내일을 꿈꿀 수 있도록
긍정적이고 효과적인 교육 서비스를 제공하는 것을
최우선 목표로 하고 있습니다.

그 존재만으로도 든든한 히어로처럼 아이들의 곁에서 힘이 되어주고,
나아가 아이들 각자가 스스로의 인생 속 히어로가 될 수 있도록

우리는 진심과 열정을 다해 아이들과 함께 할 것을 약속 드립니다.

네이버 카페
교재 상세 소개와 진단 테스트
및 유용하게 풀 수 있는
학습 자료를 다운로드 해 보세요.

인스타그램
에듀히어로 인스타그램을
팔로우하시면 다양한 이벤트와
신간 소식을 빠르게 만나보실
수 있습니다.

카카오톡 채널
자녀 수학 공부 상담 및
자유로운 질문을 남겨 주세요.
함께 고민하고
답변해 드리겠습니다.

히어로컨텐츠 HEROCONTENS

발행일: 2023년 1월　　　**발행인:** 이예찬

기획개발: 두줄수학연구소

디자인: 4BD STUDIO　　　**삽화:** 1000DAY

발행처: 히어로컨텐츠

주소: 서울특별시 금천구 서부샛길 632, 7층(대륭테크노타운5차)

전화: 02-862-2220　　　**팩스:** 02-862-2227

지원카페: cafe.naver.com/eduherocafe　　　**인스타그램:** @edu__hero

하루 한 장 60일 집중 완성 교과도형은 ··

달라진 교과서와 학교 수업 진도에 맞추어 학습자가 체계적으로 도형을 학습할 수 있도록 안내합니다.

이전의 도형 학습이 도형의 정의와 성질을 외우고, 도형의 측정결과를 계산하는 '결과' 중심의 학습이었다면 지금의 도형 학습은 공간에 대한 이해와 해석(공간감각)을 바탕으로 모양을 인식하고 변화를 유추하고 다양한 방법으로 도형을 측정하고 그 결과를 표현하는 '과정' 중심의 학습입니다.

교과도형은 수학교육의 변화와 핵심을 이해하고 올바른 방향을 제시해 주는 든든한 길잡이가 될 것입니다.

하루 한 장 60일 집중 완성 교과도형은 ··

① 공간감각 ② 도형표현 ③ 도형측정을 중심으로 교과서에서 다루는 모든 도형을 체계적으로 학습합니다.

공간감각

도형을 효과적으로 학습하기 위해서는 공간을 이해하고 해석하는 능력, 즉 '공간감각'이 필요합니다.

공간감각은 경험과 상상력을 바탕으로 머릿속에서 도형을 조작하고 결과를 유추하는 능력입니다. 공간감각은 단시간에 길러지지 않으므로 어릴 때부터 꾸준하게 학습하고 구체적인 경험을 쌓는 것이 중요합니다.

'교과도형'의 각 권 마지막에 있는 '도형플러스'는 각 권의 학습목표와 연계하여 공간감각을 한 단계 더 높여줄 수 있는 내용으로 구성하였습니다.

도형표현

공간에 존재하는 도형은 표현되었을 때 더 큰 의미를 가집니다.

• 삼각형을 찾는 것에서 그치지 않고 다양한 삼각형을 직접 그려 보고 왜 삼각형인지 설명하는 것
• 쌓기나무로 만든 모양을 위치와 방향을 이용하여 설명하는 것
• 도형을 여러 가지 기준과 특징에 따라 분류하고 왜 그렇게 분류했는지 설명하는 것
• 도형을 위·앞·옆에서 바라보고 그 모습을 그림으로 표현하는 것 등이 모두 '도형표현'입니다.

'교과도형'은 도형과 관련한 작은 그림에서부터 서술형 문장제까지 도형을 표현하는 다양한 방법을 효과적으로 학습합니다.

도형측정

측정은 도형과 아주 밀접한 관계가 있으므로 도형을 학습하면서 반드시 함께 다루어야 하는 영역입니다.

길이, 각도, 둘레, 넓이, 부피 등 흔히 '도형' 영역이라 생각하는 것이 사실 초등 교육과정에서는 '측정' 영역에 해당합니다. 사각형을 학습하는 것은 도형이지만 사각형의 둘레와 넓이를 구하는 것은 측정입니다. 각의 종류를 학습하는 것은 도형이지만 각도를 재는 것은 측정입니다. 이처럼 길이, 각도, 둘레, 넓이, 부피 등은 결국 도형을 측정하는 것입니다.

'교과도형'은 교과서의 모든 '도형' 영역을 다루었습니다. 여기에 도형과 반드시 연계하여 학습해야 하는 '측정' 영역을 추가로 다루어 더욱 완성된 도형 학습을 할 수 있도록 도와줍니다.

하루 한 장 60일 집중 완성 교과도형은 ··

7세부터 6학년까지 총 7단계 21권(단계별 3권)으로 구성되어 있으며 각 권은 매일 한 장씩 4주간 체계적으로 학습할 수 있습니다.

1권, 20일

2권, 20일

3권, 20일

대 상	단 계	구 성
7세 ~ 1학년	P	P1, P2, P3
1학년	A	A1, A2, A3
2학년	B	B1, B2, B3
3학년	C	C1, C2, C3
4학년	D	D1, D2, D3
5학년	E	E1, E2, E3
6학년	F	F1, F2, F3

교과도형의 각 단계는 1, 2, 3권을 차례대로 학습합니다.

교과도형, 한 권이면 충분합니다

교과도형은 공간감각, 도형표현, 도형측정을 중심으로 교과서에서 다루는 모든 도형을 학습하고,
공간감각 향상을 위한 '도형플러스'와 학습 결과를 확인하는 '형성평가'를 제공합니다.

1 주차별 학습

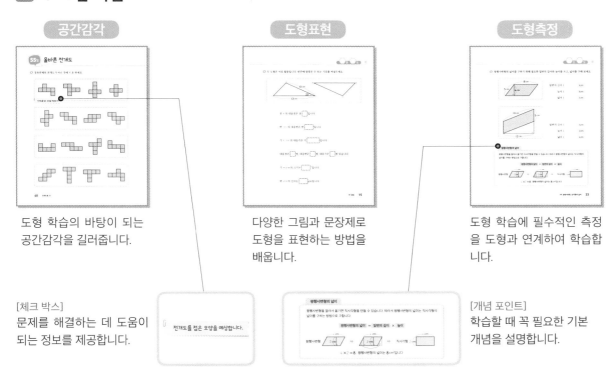

공간감각

도형 학습의 바탕이 되는
공간감각을 길러줍니다.

도형표현

다양한 그림과 문장제로
도형을 표현하는 방법을
배웁니다.

도형측정

도형 학습에 필수적인 측정
을 도형과 연계하여 학습합
니다.

[체크 박스]
문제를 해결하는 데 도움이
되는 정보를 제공합니다.

[개념 포인트]
학습할 때 꼭 필요한 기본
개념을 설명합니다.

2 도형플러스

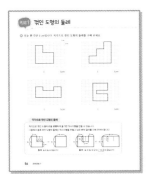

각 권의 학습 주제와
연계하여 공간감각을
더욱 향상시킵니다.

3 형성평가

학습한 내용을 다시 한 번
복습하고 정리합니다.

이 책의
차례

1주차	합동	07
2주차	선대칭도형	19
3주차	점대칭도형	31
4주차	도형 그리기	43
도형플러스	문자와 대칭	55
형성평가		63

1주차
21~25일

합동

21일 합동인 도형 찾기 ………………… 08

22일 종이 자르기 ………………… 10

23일 대응점, 대응변, 대응각 ………………… 12

24일 합동인 두 도형 (1) ………………… 14

25일 합동인 두 도형 (2) ………………… 16

왼쪽 도형과 포개었을 때 완전히 겹쳐지는 도형을 찾아 ◯표 하세요.

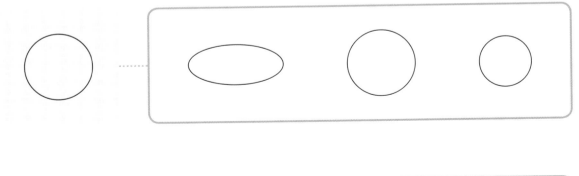

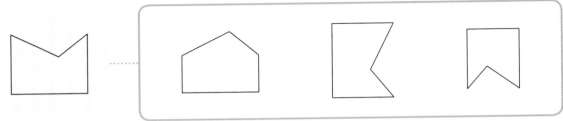

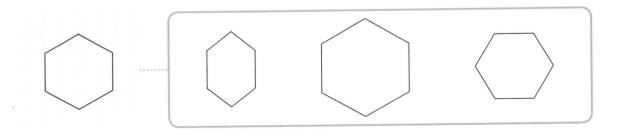

합동

모양과 크기가 같아서 포개었을 때 완전히 겹치는 두 도형을 서로 합동이라고 합니다.

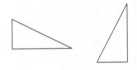

도형을 뒤집거나 돌려서 완전히 겹치면 합동입니다.
모양이 같아도 크기가 다르면 완전히 겹치지 않으므로 합동이 아닙니다.

💬 왼쪽 도형과 합동인 도형의 기호를 써 보세요.

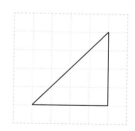 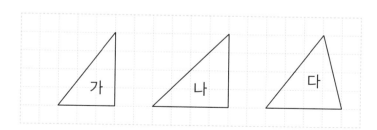

(   )

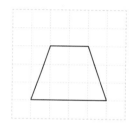 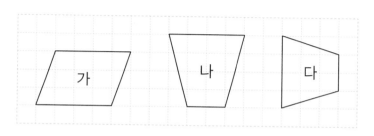

(   )

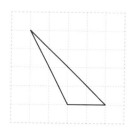 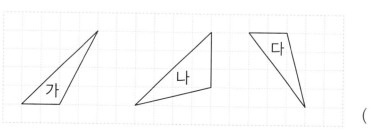

(   )

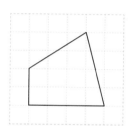 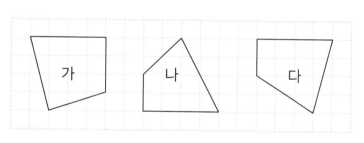

(   )

종이 자르기

점선을 따라 종이를 잘랐을 때 만들어지는 두 도형이 서로 합동인 것에 ◯표 하세요.

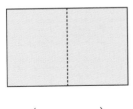
(   )

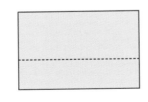
(   )

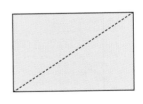
(   )

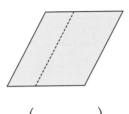
(   )

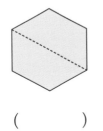
(   )

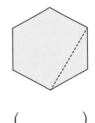
(   )

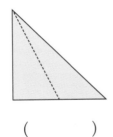
(   )

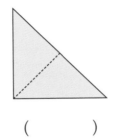
(   )

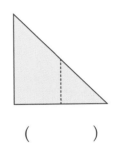
(   )

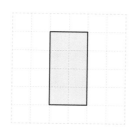 도형 안에 선분 1개를 그어 서로 합동인 도형 2개가 되도록 만들어 보세요.

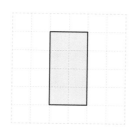

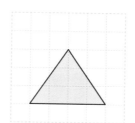

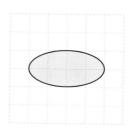

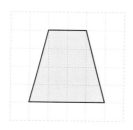

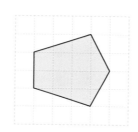

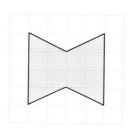

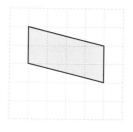

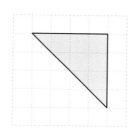

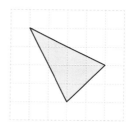

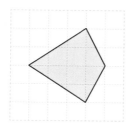

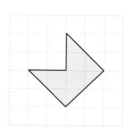

대응점, 대응변, 대응각

🔢 두 도형은 서로 합동입니다. 대응점, 대응변, 대응각을 각각 찾아 써 보세요.

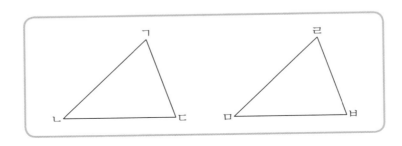

대응점	
점 ㄱ	점 ㄹ
점 ㄴ	
점 ㄷ	

대응변	
변 ㄱㄴ	
변 ㄴㄷ	
변 ㄷㄱ	

대응각	
각 ㄱㄴㄷ	
각 ㄷㄱㄴ	
각 ㄴㄷㄱ	

삼각형은 대응점이 3쌍,
대응변이 3쌍, 대응각이
3쌍 있습니다.

합동인 도형의 성질

서로 합동인 두 도형을 포개었을 때 완전히 겹치는 점을 대응점, 겹치는 변을 대응변, 겹치는 각을 대응각이라고 합니다.

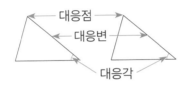

합동인 두 도형은 대응변의 길이가 서로 같고, 대응각의 크기가 서로 같습니다.

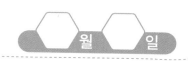

두 도형은 서로 합동입니다. 알맞게 이어 보세요.

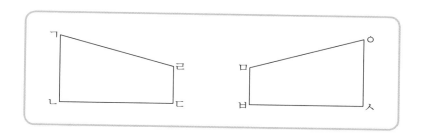

대응점

점 ㄱ	•		•	점 ㅂ
점 ㄹ	•		•	점 ㅇ
점 ㄷ	•		•	점 ㅁ

대응변

변 ㄱㄴ	•		•	변 ㅂㅁ
변 ㄴㄷ	•		•	변 ㅅㅂ
변 ㄷㄹ	•		•	변 ㅇㅅ

대응각

각 ㄱㄹㄷ	•		•	각 ㅅㅂㅁ
각 ㄴㄷㄹ	•		•	각 ㅇㅁㅂ
각 ㄴㄱㄹ	•		•	각 ㅅㅇㅁ

두 도형은 서로 합동입니다. 바르게 설명한 것에 ○표, 잘못 설명한 것에 ✕표 하세요.

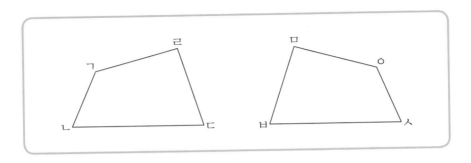

점 ㄱ의 대응점은 점 ㅁ입니다. ────────── (   )

각 ㄹㄷㄴ의 대응각은 각 ㅁㅂㅅ입니다. ───── (   )

대응변은 **4**쌍 있습니다. ──────────── (   )

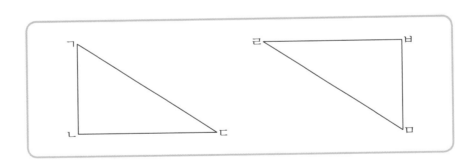

점 ㄷ의 대응점은 점 ㄹ입니다. ────────── (   )

변 ㄴㄷ의 대응변은 변 ㅁㅂ입니다. ─────── (   )

대응각의 크기는 서로 같습니다. ────────── (   )

🗨 두 도형은 서로 합동입니다. 빈칸에 알맞은 수 또는 기호를 써넣으세요.

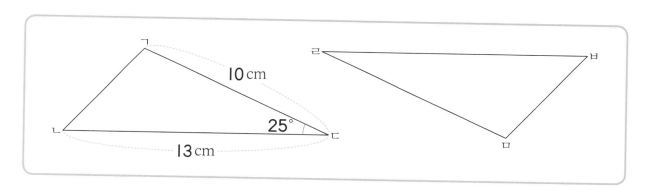

점 ㄷ의 대응점은 점 ☐ 입니다.

변 ㄱㄴ의 대응변은 변 ☐ 입니다.

각 ㄴㄱㄷ의 대응각은 각 ☐ 입니다.

대응점은 ☐ 쌍, 대응변은 ☐ 쌍, 대응각은 ☐ 쌍 있습니다.

각 ㅁㄹㅂ의 크기는 ☐ °입니다.

변 ㄹㅁ의 길이는 ☐ cm입니다.

💬 두 도형은 서로 합동입니다. 물음에 답하세요.

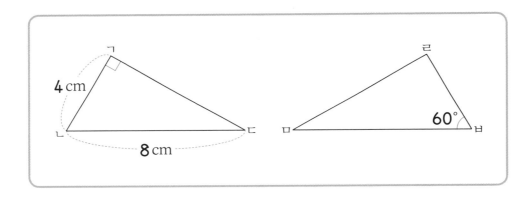

변 ㄱㄷ의 대응변을 써 보세요.　　　　　　　　(　　　　　　　　)

변 ㄹㅂ은 몇 cm인가요?　　　　　　　　(　　　　　)cm

각 ㅂㄹㅁ은 몇 도인가요?　　　　　　　　(　　　　　)°

각 ㄹㅁㅂ은 몇 도인가요?　　　　　　　　(　　　　　)°

🔸 두 도형은 서로 합동입니다. 물음에 답하세요.

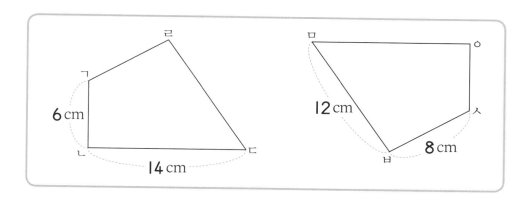

각 ㄱㄹㄷ의 대응각을 써 보세요. ( )

변 ㅁㅇ은 몇 cm인가요? ( )cm

변 ㄱㄹ은 몇 cm인가요? ( )cm

사각형 ㄱㄴㄷㄹ의 둘레는 몇 cm인가요? ( )cm

● 물음에 답하세요.

직사각형 모양의 땅이 있습니다. 사각형 ㄱㄴㄷㅂ과 사각형 ㅂㄷㄹㅁ이 서로 합동이라면 직사각형 모양의 땅의 둘레는 몇 m일까요?

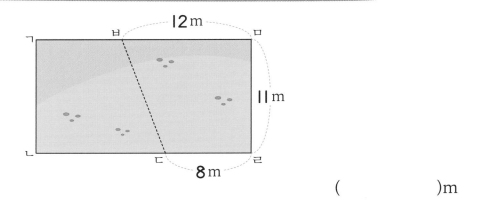

(   )m

삼각형 ㄱㄴㄷ과 삼각형 ㄷㄹㅁ은 서로 합동입니다. 각 ㄱㅁㄷ은 몇 도일까요?

삼각형 ㄱㄷㅁ은 어떤 삼각형인지 알아봅니다.

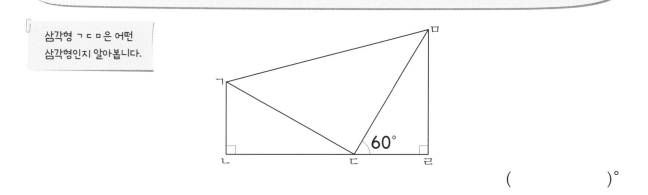

(   )°

2주차
26~30일

선대칭도형

26일	선대칭도형 찾기	20
27일	대칭축	22
28일	도형과 대칭축	24
29일	대응점, 대응변, 대응각	26
30일	선대칭도형의 성질	28

⚟ 반으로 접었을 때 완전히 겹치는 도형에 모두 ◯표 하세요.

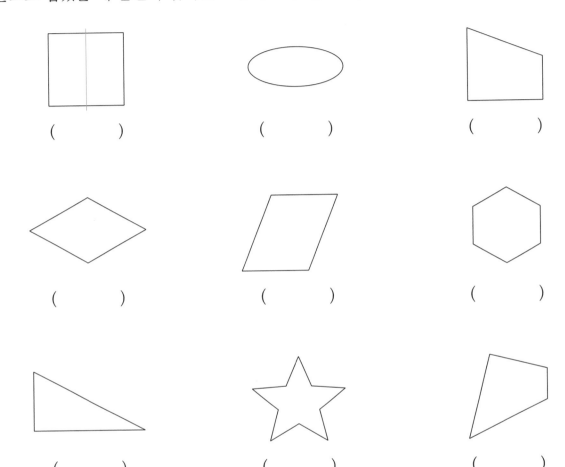

(   )   (   )   (   )

(   )   (   )   (   )

(   )   (   )   (   )

선대칭도형

한 직선을 따라 **접었을 때** 완전히 겹치는 도형을 선대칭도형이라고 합니다.
이때 그 직선을 대칭축이라고 합니다.

대칭축

대칭축

대칭축

4 선대칭도형을 모두 찾아 기호를 써 보세요.

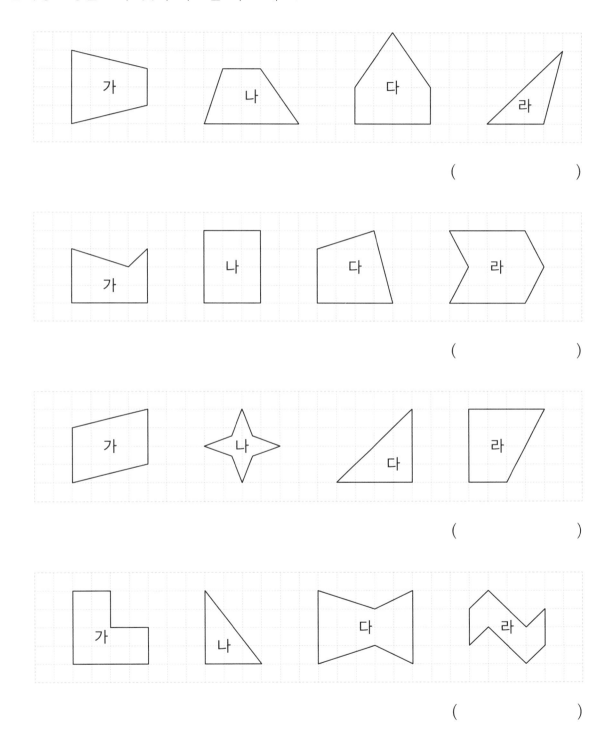

(   )

(   )

(   )

(   )

💬 선대칭도형입니다. 대칭축을 모두 그려 보세요.

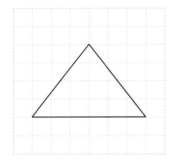 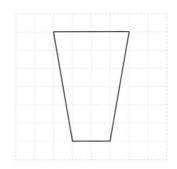 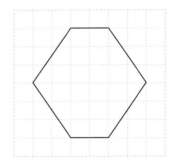

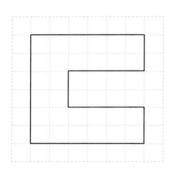 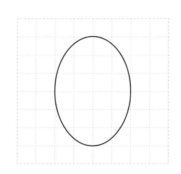 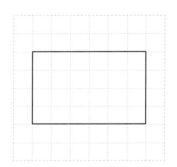

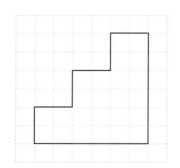 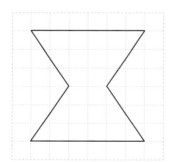 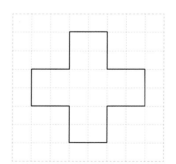

💬 선대칭도형입니다. 대칭축의 개수를 구해 보세요.

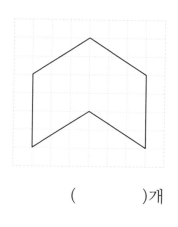

(   )개

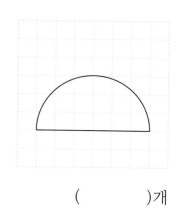

(   )개

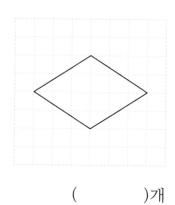

(   )개

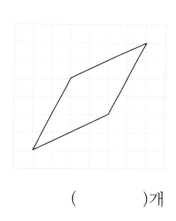

(   )개

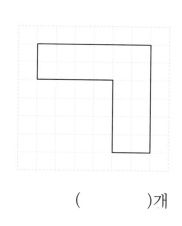

(   )개

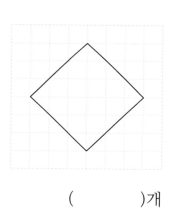

(   )개

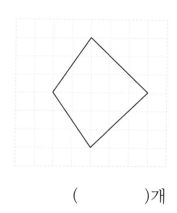

(   )개

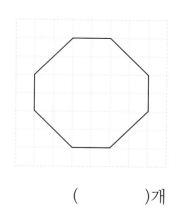

(   )개

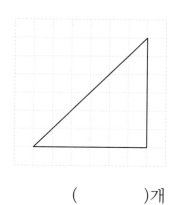

(   )개

🗨 도형을 보고 물음에 답하세요.

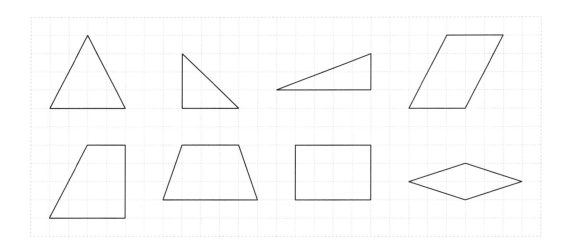

선대칭도형은 모두 몇 개인가요? (   )개

대칭축이 **2**개 이상인 도형은 몇 개인가요? (   )개

항상 선대칭도형인 것에 모두 ◯표 하세요.

이등변삼각형	직각삼각형	사다리꼴
평행사변형	마름모	직사각형

도형을 보고 물음에 답하세요.

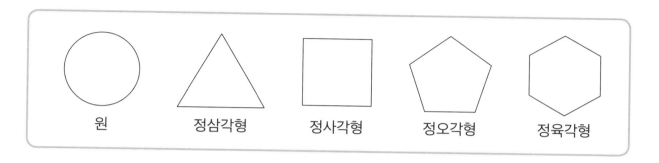

선대칭도형은 모두 몇 개인가요?　　　　　　　(　　　　　)개

정삼각형의 대칭축은 몇 개인가요?　　　　　　(　　　　　)개

정오각형의 대칭축은 몇 개인가요?　　　　　　(　　　　　)개

대칭축이 가장 많은 도형은 무엇인가요?　　　(　　　　　)

대응점, 대응변, 대응각

💬 선대칭도형입니다. 대응점, 대응변, 대응각을 각각 찾아 써 보세요.

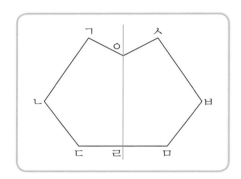

대응점	
점 ㄱ	점 ㅅ
점 ㄴ	
점 ㄷ	

대응변	
변 ㄱㄴ	
변 ㄴㄷ	
변 ㄷㄹ	
변 ㄱㅇ	

대응각	
각 ㄱㄴㄷ	
각 ㄴㄷㄹ	
각 ㅇㄱㄴ	

선대칭도형의 성질

선대칭도형을 대칭축을 따라 접었을 때 겹치는 점을 대응점,
겹치는 변을 대응변, 겹치는 각을 대응각이라고 합니다.

선대칭도형은 대응변의 길이가 서로 같고,
대응각의 크기가 서로 같습니다.

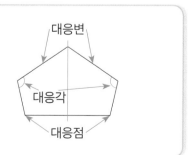

💬 선대칭도형입니다. 바르게 설명한 것에 ◯표, 잘못 설명한 것에 ✕표 하세요.

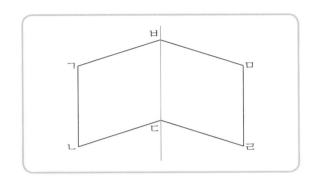

변 ㄱㄴ의 대응변은 변 ㅁㄹ입니다. ──────────── (　　　　)

각 ㅂㄱㄴ의 대응각은 각 ㅂㅁㄹ입니다. ────── (　　　　)

점 ㄴ의 대응점은 점 ㅁ입니다. ────────── (　　　　)

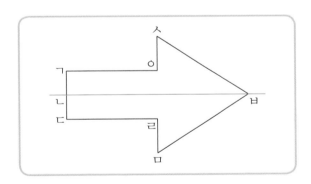

점 ㅅ의 대응점은 점 ㄹ입니다. ──────────── (　　　　)

변 ㄱㄴ과 변 ㄹㅁ의 길이는 서로 같습니다. ────── (　　　　)

각 ㄹㅁㅂ과 각 ㅇㅅㅂ의 크기는 서로 같습니다. ──── (　　　　)

선대칭도형의 성질

🔢 직선 ㄱㄴ을 대칭축으로 하는 선대칭도형입니다. 빈칸에 알맞은 수를 써넣으세요.

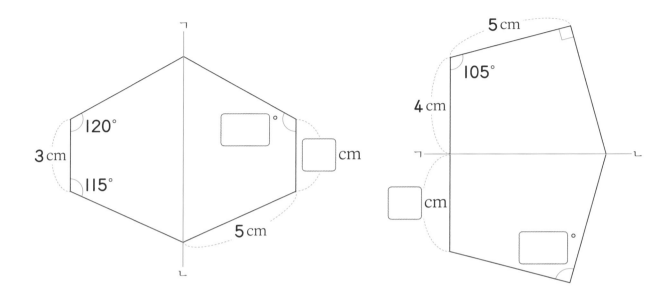

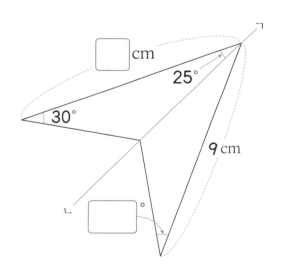

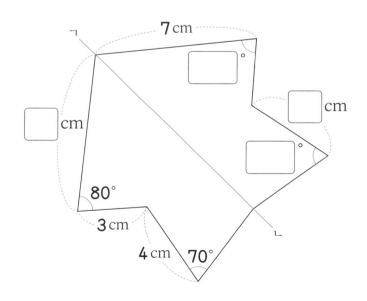

직선 ㅅㅇ을 대칭축으로 하는 선대칭도형입니다. 물음에 답하세요.

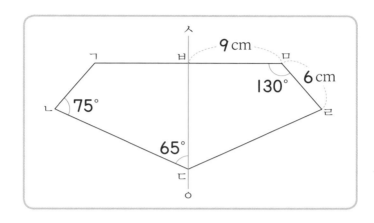

변 ㄱㄴ은 몇 cm인가요?　　　　　　　　　　　　　（　　　　　）cm

변 ㄱㅂ은 몇 cm인가요?　　　　　　　　　　　　　（　　　　　）cm

각 ㅂㄱㄴ은 몇 도인가요?　　　　　　　　　　　　（　　　　　）°

각 ㄷㄹㅁ은 몇 도인가요?　　　　　　　　　　　　（　　　　　）°

💬 물음에 답하세요.

직선 ㄱㄴ을 대칭축으로 하는 선대칭도형입니다. 선대칭도형의 둘레는 몇 cm일까요?

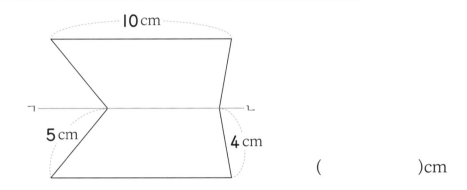

(   )cm

직선 ㅈㅊ을 대칭축으로 하는 선대칭도형의 둘레가 32cm입니다. 변 ㄱㄴ은 몇 cm일까요?

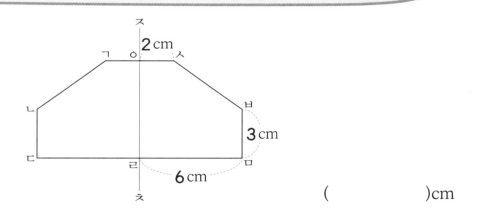

(   )cm

3주차
31~35일

점대칭도형

31일 점대칭도형 찾기 ·············· 20

32일 대칭의 중심 ·············· 22

33일 선대칭과 점대칭 ·············· 24

34일 대응점, 대응변, 대응각 ·············· 26

35일 점대칭도형의 성질 ·············· 28

점대칭도형 찾기

💬 180° 돌렸을 때 처음 도형과 완전히 겹치는 도형에 모두 ◯표 하세요.

(   )

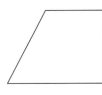

(   )

(   )

(   )

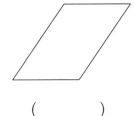

(   )

(   )

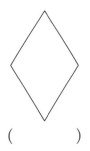

(   )

(   )

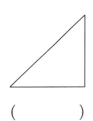

(   )

점대칭도형

한 도형을 어떤 점을 중심으로 180° 돌렸을 때 처음 도형과 완전히 겹치면 이 도형을 점대칭도형이라 하고, 이때 그 점을 대칭의 중심이라고 합니다.

대칭의 중심

대칭의 중심

⚙ 점대칭도형을 모두 찾아 기호를 써 보세요.

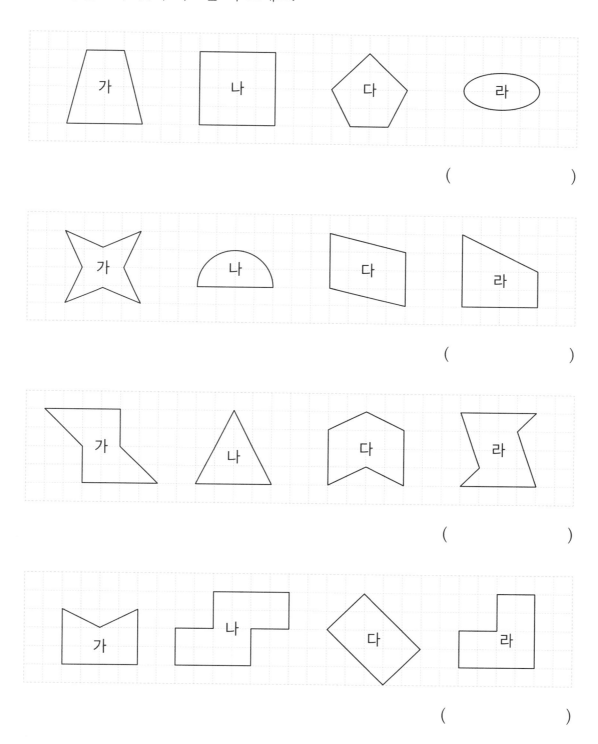

(   )

(   )

(   )

(   )

🔵 점대칭도형입니다. 대칭의 중심을 ●으로 표시해 보세요.

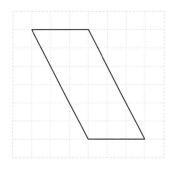
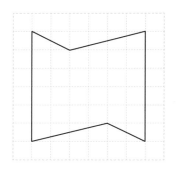
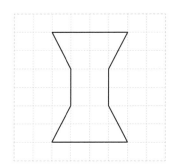

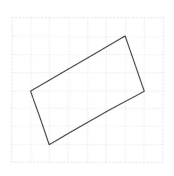
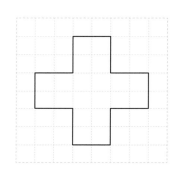
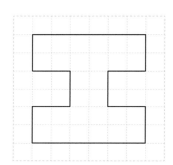

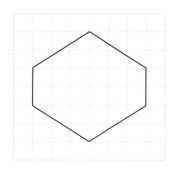
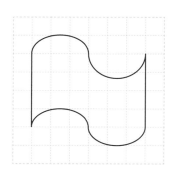
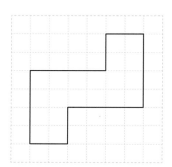

💬 도형을 보고 물음에 답하세요.

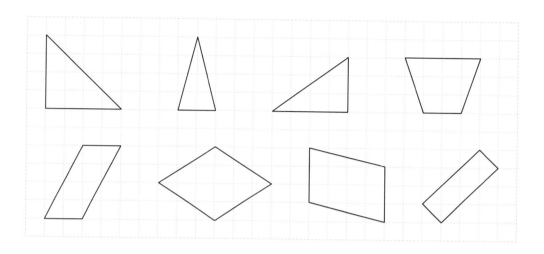

점대칭도형은 모두 몇 개인가요? ( )개

점대칭도형에서 대칭의 중심은 몇 개인가요? ( )개

항상 점대칭도형인 것에 모두 ◯표 하세요.

| 이등변삼각형 | 직각삼각형 | 사다리꼴 |
| 평행사변형 | 마름모 | 직사각형 |

도형을 보고 물음에 답하세요.

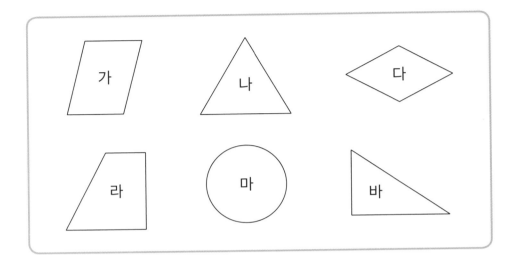

선대칭도형을 모두 찾아 기호를 써 보세요. (   )

점대칭도형을 모두 찾아 기호를 써 보세요. (   )

선대칭도형이면서 점대칭도형인 것을 모두 찾아 기호를 써 보세요.

(   )

🎵 모양 조각을 보고 물음에 답하세요.

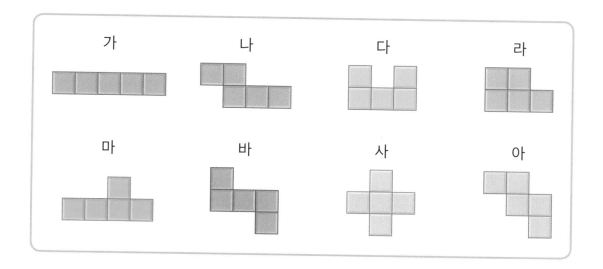

선대칭도형을 모두 찾아 기호를 써 보세요.　　　(　　　　　　　　　)

점대칭도형을 모두 찾아 기호를 써 보세요.　　　(　　　　　　　　　)

선대칭도형이면서 점대칭도형인 것을 모두 찾아 기호를 써 보세요.

(　　　　　　　　　)

대응점, 대응변, 대응각

💬 점대칭도형입니다. 대응점, 대응변, 대응각을 각각 찾아 써 보세요.

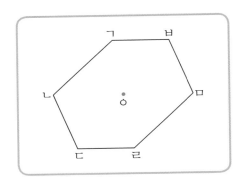

대응점	
점 ㄱ	점 ㄹ
점 ㄴ	
점 ㄷ	

대응변	
변 ㄱㄴ	
변 ㄴㄷ	
변 ㄷㄹ	

대응각	
각 ㄱㄴㄷ	
각 ㄴㄷㄹ	
각 ㅂㄱㄴ	

점대칭도형의 성질

점대칭도형을 대칭의 중심을 중심으로 180°돌렸을 때 겹치는 점을 대응점, 겹치는 변을 대응변, 겹치는 각을 대응각이라고 합니다.

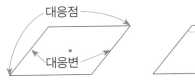

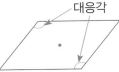

점대칭도형은 대응변의 길이가 서로 같고, 대응각의 크기가 서로 같습니다.

점대칭도형입니다. 빈칸에 알맞은 기호를 써넣으세요.

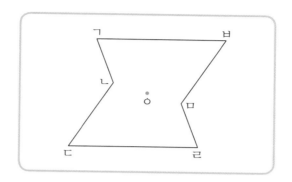

점 ㄴ의 대응점은 점 □ 입니다.

변 ㄴㄷ의 대응변은 변 □ 입니다.

각 ㄷㄹㅁ의 대응각은 각 □ 입니다.

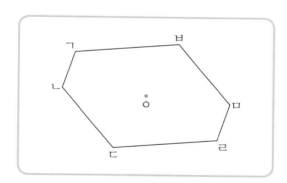

점 ㄷ의 대응점은 점 □ 입니다.

변 ㄱㅂ의 대응변은 변 □ 입니다.

각 ㄹㅁㅂ의 대응각은 각 □ 입니다.

점대칭도형의 성질

점 ㅇ을 대칭의 중심으로 하는 점대칭도형입니다. 빈칸에 알맞은 수를 써넣으세요.

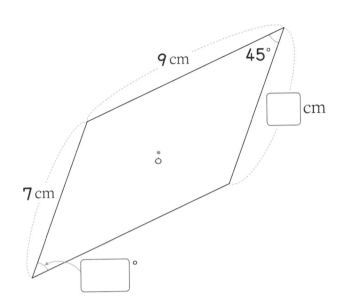

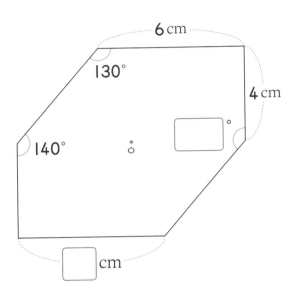

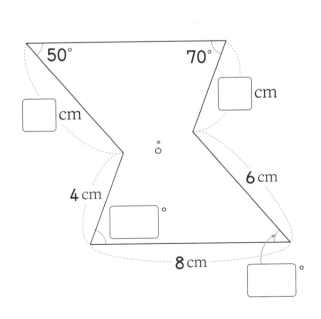

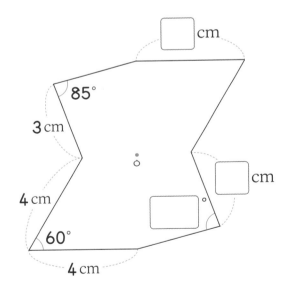

💬 점 ㅇ을 대칭의 중심으로 하는 점대칭도형입니다. 물음에 답하세요.

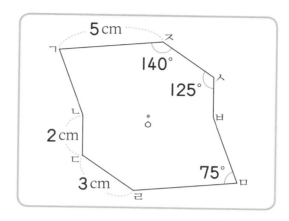

변 ㄹㅁ은 몇 cm인가요?
(   )cm

변 ㅅㅈ은 몇 cm인가요?
(   )cm

각 ㅈㄱㄴ은 몇 도인가요?
(   )°

각 ㄴㄷㄹ은 몇 도인가요?
(   )°

물음에 답하세요.

점 ㅇ을 대칭의 중심으로 하는 점대칭도형입니다. 점대칭도형의 둘레는 몇 cm 일까요?

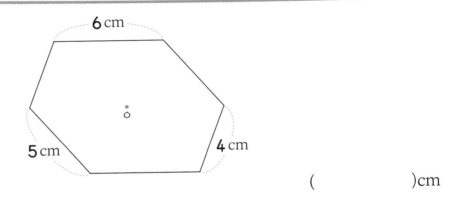

(   )cm

점 ㅇ을 대칭의 중심으로 하는 점대칭도형의 둘레가 34 cm입니다. 변 ㄴㄷ은 몇 cm일까요?

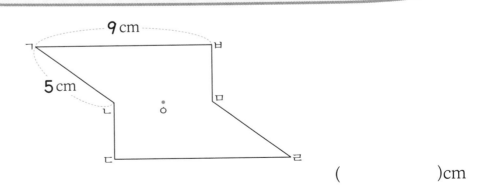

(   )cm

도형 그리기

36일 합동인 도형 그리기 ⋯⋯⋯⋯⋯⋯ 44

37일 대응점끼리 잇기 (1) ⋯⋯⋯⋯⋯⋯ 46

38일 선대칭도형 그리기 ⋯⋯⋯⋯⋯⋯ 48

39일 대응점끼리 잇기 (2) ⋯⋯⋯⋯⋯⋯ 50

40일 점대칭도형 그리기 ⋯⋯⋯⋯⋯⋯ 52

합동인 도형 그리기

주어진 도형과 서로 합동인 도형을 완성해 보세요.

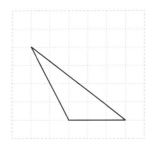

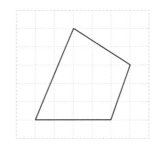

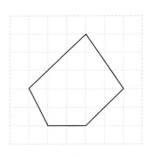

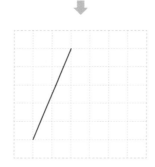

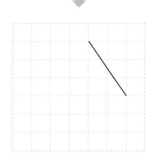

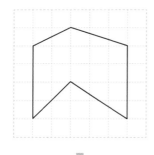

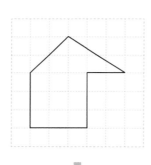

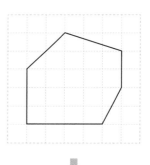

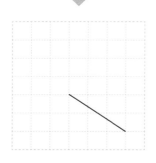

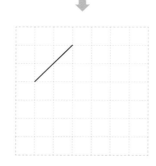

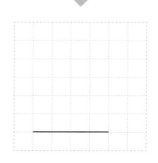

주어진 도형과 서로 합동인 도형을 그려 보세요.

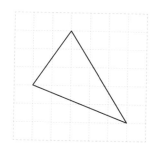

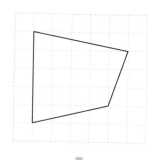

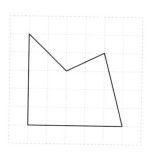

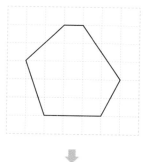

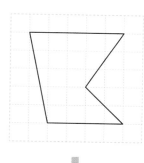

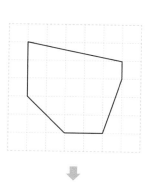

대응점끼리 잇기 (1)

💬 직선 ㄱㄴ을 대칭축으로 하는 선대칭도형입니다. 대응점끼리 이어 보세요.

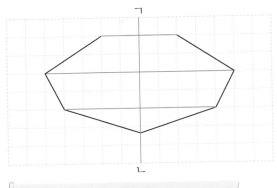

대응점에서 대칭축까지의 거리는 서로 같습니다.

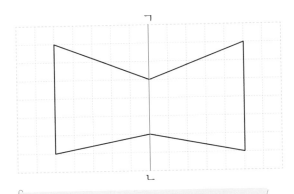

대응점끼리 이은 선분은 대칭축과 수직으로 만납니다.

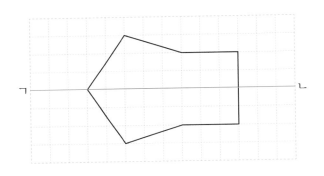

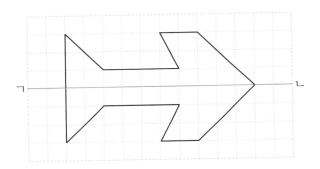

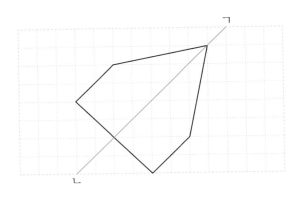

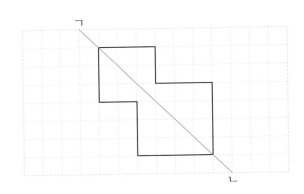

11 직선 ㄱㄴ을 대칭축으로 하는 선대칭도형을 완성해 보세요.

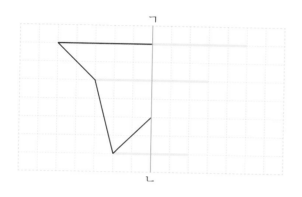

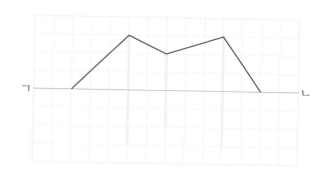

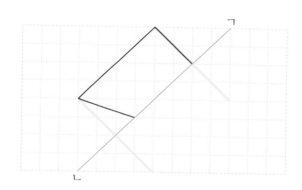

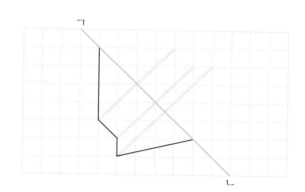

선대칭도형 그리기

선대칭도형의 대칭축은 대응점끼리 이은 선분을 똑같이 둘로 나눕니다.

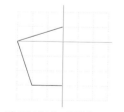 ⇨  ⇨  ⇨

한 점에서 대칭축으로 **수선**을 긋습니다.

점과 대칭축 사이의 거리가 같도록 반대편에 대응점을 표시합니다.

같은 방법으로 나머지 점의 대응점을 찾아 표시합니다.

제시된 그림과 대응점을 이어 선대칭도형을 완성합니다.

선대칭도형 그리기

직선 ㄱㄴ을 대칭축으로 하는 선대칭도형을 완성해 보세요.

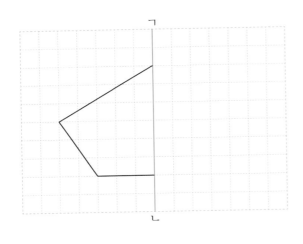

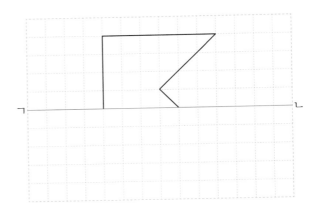

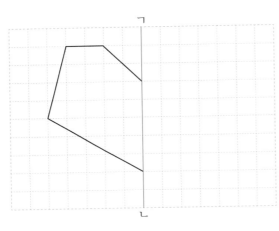

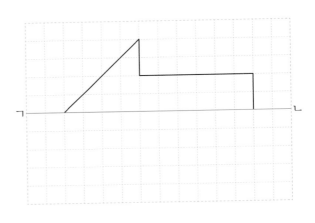

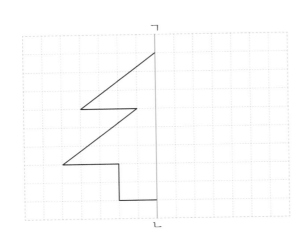

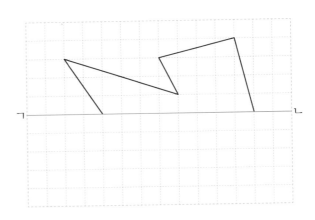

직선 ㄱㄴ을 대칭축으로 하는 선대칭도형을 완성해 보세요.

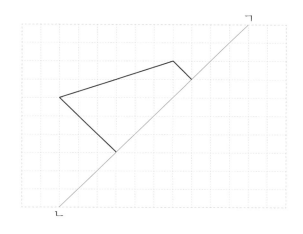
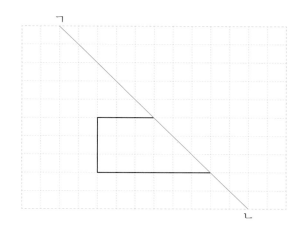
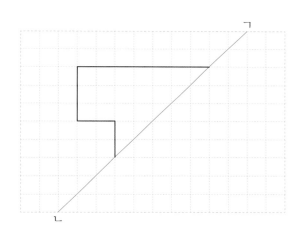
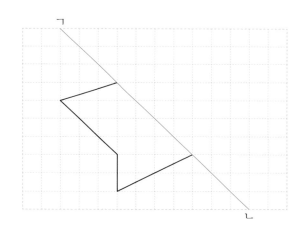
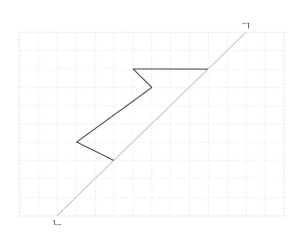
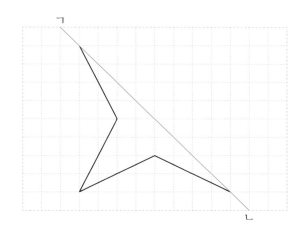

대응점끼리 잇기 (2)

💬 점 ㅇ을 대칭의 중심으로 하는 점대칭도형입니다. 대응점끼리 이어 보세요.

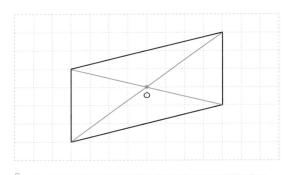

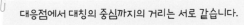

대응점에서 대칭의 중심까지의 거리는 서로 같습니다.

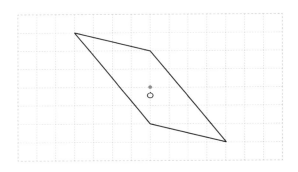

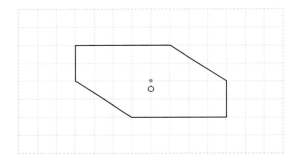

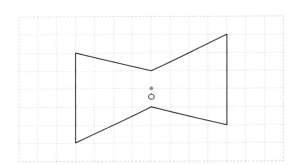

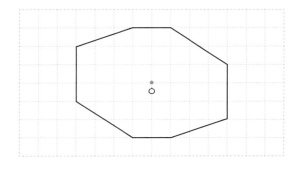

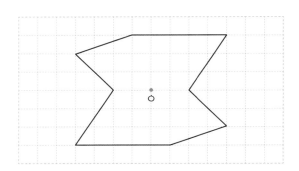

🔟 점 ㅇ을 대칭의 중심으로 하는 점대칭도형을 완성해 보세요.

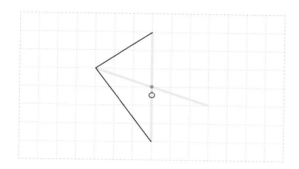
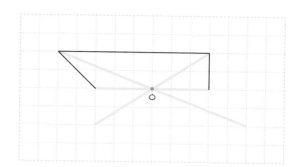

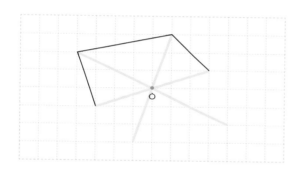
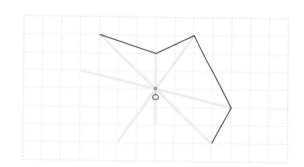

점대칭도형 그리기

점대칭도형의 대칭의 중심은 대응점끼리 이은 선분을 똑같이 둘로 나눕니다.

 ➡  ➡ 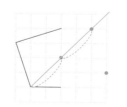 ➡

| 한 점에서 대칭의 중심을 지나는 직선을 긋습니다. | 점과 대칭의 중심 사이의 거리가 같도록 반대편에 대응점을 표시합니다. | 같은 방법으로 나머지 점의 대응점을 찾아 표시합니다. | 제시된 그림과 대응점을 이어 점대칭도형을 완성합니다. |

점대칭도형 그리기

점 ㅇ을 대칭의 중심으로 하는 점대칭도형을 완성해 보세요.

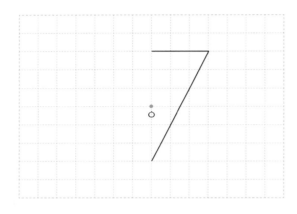

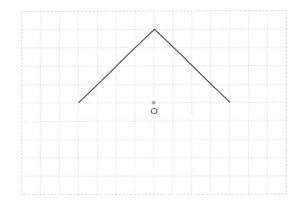

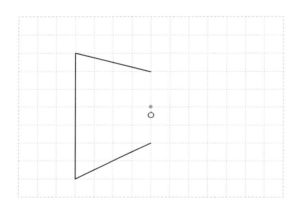

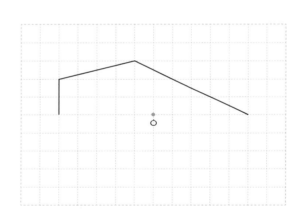

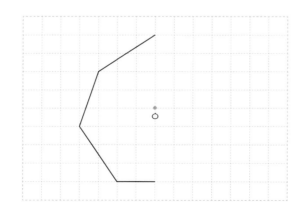

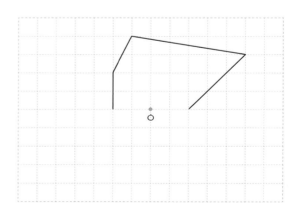

14 점 ㅇ을 대칭의 중심으로 하는 점대칭도형을 완성해 보세요.

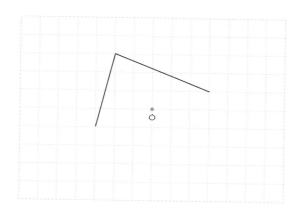

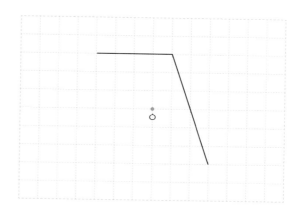

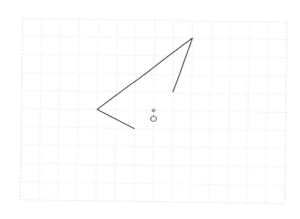

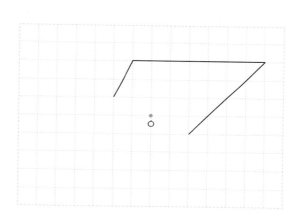

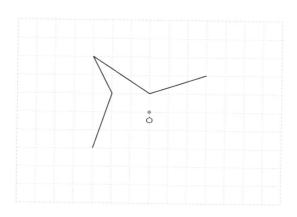

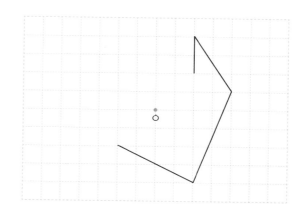

직선 ㄱㄴ을 대칭축으로 하는 선대칭도형과 점 ㅇ을 대칭의 중심으로 하는 점대칭도형을 각각 완성해 보세요.

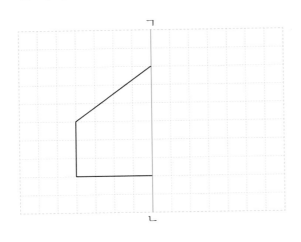

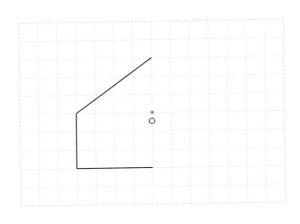

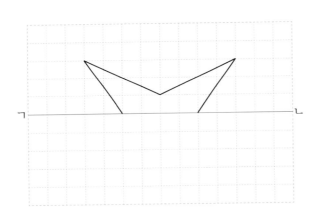

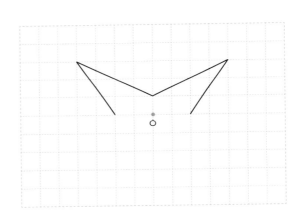

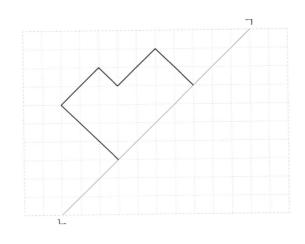

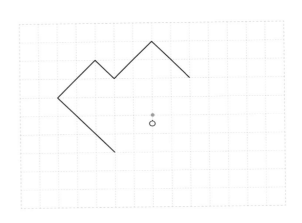

도형 플러스 +
- 문자와 대칭 -

PLUS **1** **선대칭과 점대칭** ················· 56

PLUS **2** **알파벳과 대칭** ················· 58

PLUS **3** **글자와 대칭** ················· 60

선대칭과 점대칭

▶ 0부터 9까지의 디지털 숫자가 있습니다. 물음에 답하세요.

0123456789

선대칭도형인 숫자를 모두 찾아 써 보세요.

( )

점대칭도형인 숫자를 모두 찾아 써 보세요.

( )

선대칭도형이면서 점대칭도형인 숫자를 모두 찾아 써 보세요.

( )

알파벳을 보고 물음에 답하세요.

A F I S P D O Z

선대칭도형인 알파벳을 모두 찾아 써 보세요.

(   )

점대칭도형인 알파벳을 모두 찾아 써 보세요.

(   )

선대칭도형이면서 점대칭도형인 알파벳을 모두 찾아 써 보세요.

(   )

알파벳과 대칭

▶ 대칭축의 한쪽을 그려 알파벳을 완성하고, 완성된 알파벳을 써 보세요.

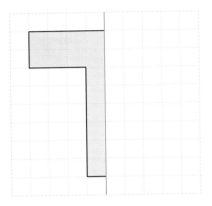

(   )

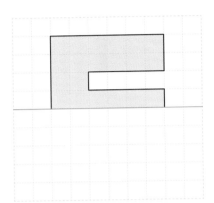

(   )

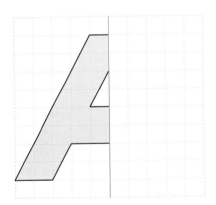

(   )

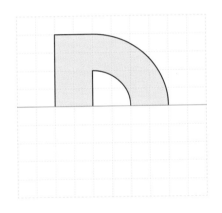

(   )

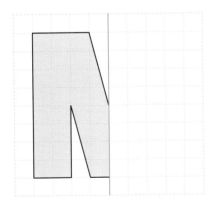

(   )

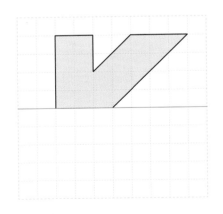

(   )

▶ 대칭의 중심을 기준으로 점대칭이 되도록 알파벳을 완성하고, 완성된 알파벳을 써 보세요.

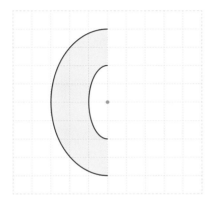

( )

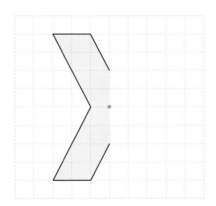

( )

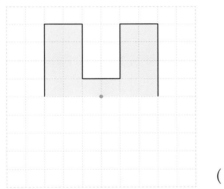

( )

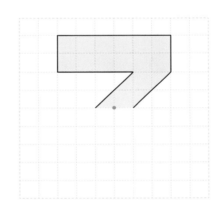

( )

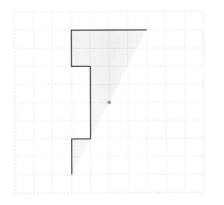

( )

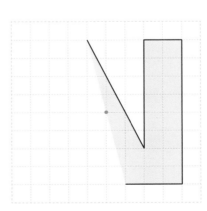

( )

글자와 대칭

▶ 대칭축의 한쪽을 그려 자음을 완성하고, 완성된 자음을 써 보세요.

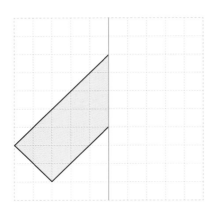 (   )

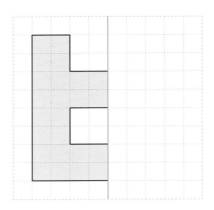 (   )

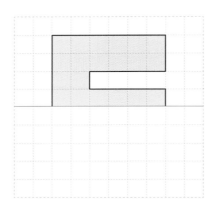 (   )

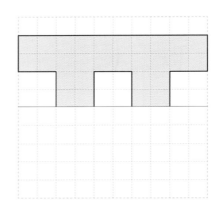 (   )

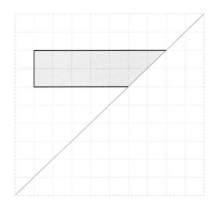 (   )

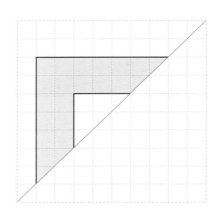 (   )

▶ 대칭축의 한쪽을 그려 글자를 완성하고, 완성된 글자를 써 보세요.

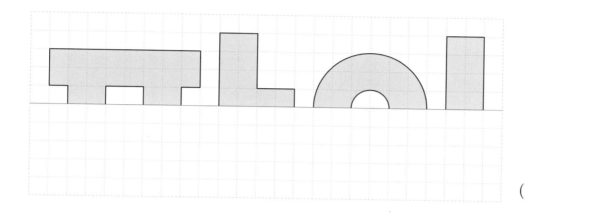

(   )

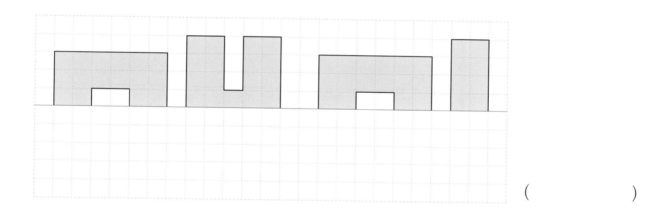

(   )

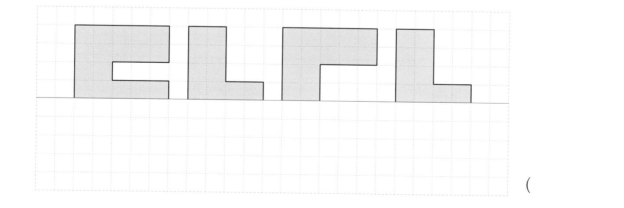

(   )

memo

형성평가

1회 ·············· 64

2회 ·············· 66

1 왼쪽 도형과 합동인 도형에 ◯표 하세요.

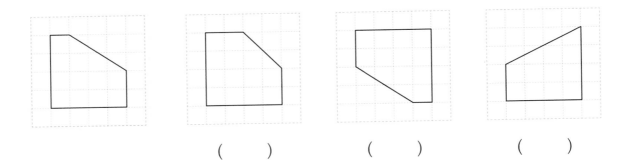

(   )   (   )   (   )

2 점대칭도형입니다. 대칭의 중심을 ●으로 표시해 보세요.

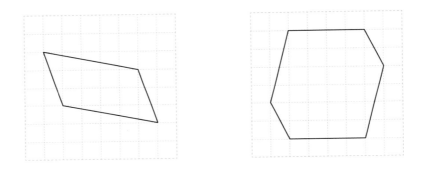

3 직선 ㄱㄴ을 대칭축으로 하는 선대칭도형입니다. 빈칸에 알맞은 수를 써넣으세요.

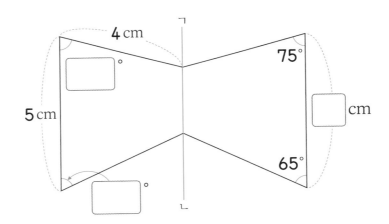

4 점 ㅇ을 대칭의 중심으로 하는 점대칭도형입니다. 점대칭도형의 둘레는 몇 cm일까요?

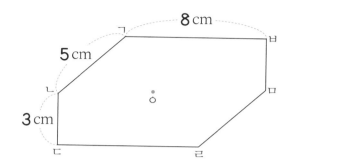

(   )cm

5 선대칭도형이면서 점대칭도형인 것의 기호를 모두 써 보세요.

> ㉠ 정삼각형   ㉡ 마름모
>
> ㉢ 평행사변형   ㉣ 직사각형

(   )

6 직선 ㄱㄴ을 대칭축으로 하는 선대칭도형을 완성해 보세요.

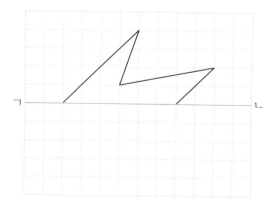

1 선대칭도형입니다. 대칭축을 모두 그려 보세요.

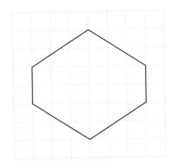 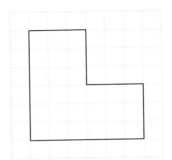

2 점 ㅇ을 대칭의 중심으로 하는 점대칭도형입니다. 표를 완성해 보세요.

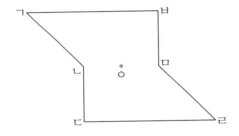

대응점	점 ㄱ	
대응변	변 ㅁㅂ	
대응각	각 ㄷㄹㅁ	

3 두 삼각형은 서로 합동입니다. 각 ㄹㅁㅂ은 몇 도일까요?

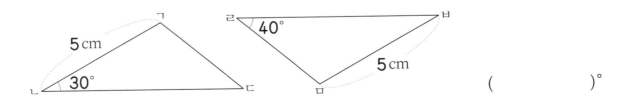

(   )°

4 선대칭도형이면서 점대칭도형인 것의 기호를 모두 써 보세요.

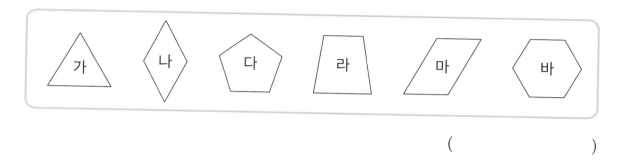

(   )

5 직선 ㅅㅇ을 대칭축으로 하는 선대칭도형의 둘레가 **42**cm입니다. 변 ㄱㄴ은 몇 cm일까요?

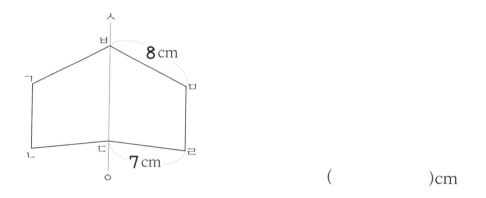

(   )cm

6 점 ㅇ을 대칭의 중심으로 하는 점대칭도형을 완성해 보세요.

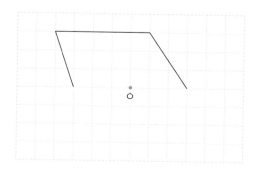

memo

하루 한 장 60일 집중 완성

교과도형

초5

E 2

합동과 대칭

정답

E2
합동과 대칭

1주차 합동인 도형

21일 합동인 도형 찾기

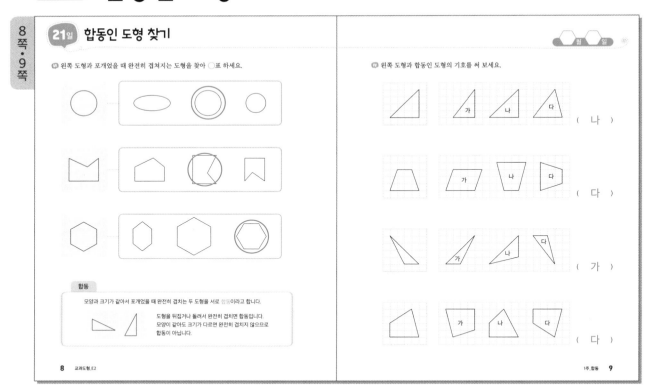

① 왼쪽 도형과 포개었을 때 완전히 겹쳐지는 도형을 찾아 ○표 하세요.

합동

모양과 크기가 같아서 포개었을 때 완전히 겹치는 두 도형을 서로 합동이라고 합니다.

도형을 뒤집거나 돌려서 완전히 겹치면 합동입니다.
모양이 같아도 크기가 다르면 완전히 겹치지 않으므로 합동이 아닙니다.

① 왼쪽 도형과 합동인 도형의 기호를 써 보세요.

(나)

(다)

(가)

(다)

22일 종이 자르기

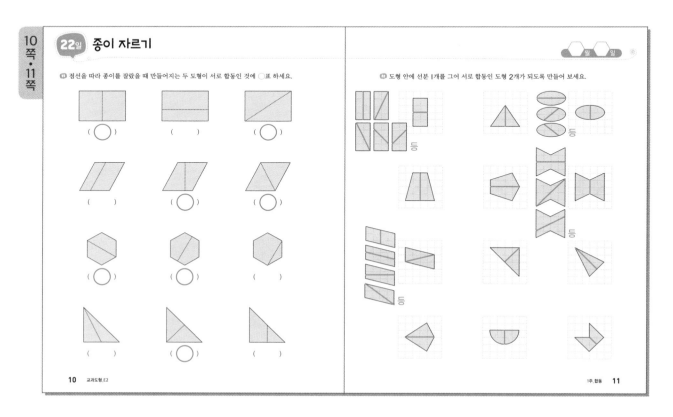

① 점선을 따라 종이를 잘랐을 때 만들어지는 두 도형이 서로 합동인 것에 ○표 하세요.

① 도형 안에 선분 1개를 그어 서로 합동인 도형 2개가 되도록 만들어 보세요.

23일 대응점, 대응변, 대응각

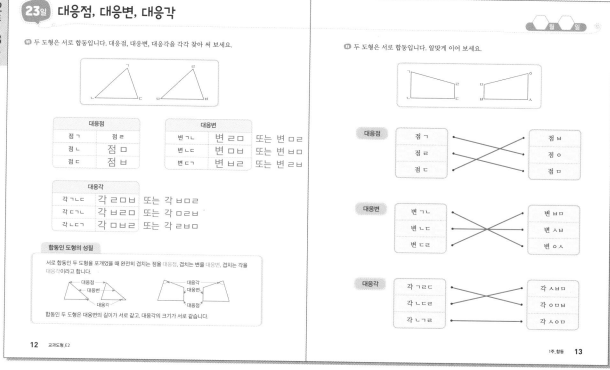

① 두 도형은 서로 합동입니다. 대응점, 대응변, 대응각을 각각 찾아 써 보세요.

대응점	
점 ㄱ	점 ㄹ
점 ㄴ	점 ㅁ
점 ㄷ	점 ㅂ

대응변		
변 ㄱㄴ	변 ㄹㅁ	또는 변 ㅁㄹ
변 ㄴㄷ	변 ㅁㅂ	또는 변 ㅂㅁ
변 ㄷㄱ	변 ㅂㄹ	또는 변 ㄹㅂ

대응각		
각 ㄱㄴㄷ	각 ㄹㅁㅂ	또는 각 ㅂㅁㄹ
각 ㄷㄱㄴ	각 ㅂㄹㅁ	또는 각 ㅁㄹㅂ
각 ㄴㄷㄱ	각 ㅁㅂㄹ	또는 각 ㄹㅂㅁ

합동인 도형의 성질

서로 합동인 두 도형을 포개었을 때 완전히 겹치는 점을 **대응점**, 겹치는 변을 **대응변**, 겹치는 각을 **대응각**이라고 합니다.

합동인 두 도형은 대응변의 길이가 서로 같고, 대응각의 크기가 서로 같습니다.

---

② 두 도형은 서로 합동입니다. 알맞게 이어 보세요.

대응점
- 점 ㄱ → 점 ㅁ
- 점 ㄹ → 점 ㅂ
- 점 ㄷ → 점 ㅇ

대응변
- 변 ㄱㄴ → 변 ㅅㅂ
- 변 ㄴㄷ → 변 ㅇㅅ
- 변 ㄷㄹ → 변 ㅂㅁ

대응각
- 각 ㄱㄹㄷ → 각 ㅅㅂㅁ
- 각 ㄴㄷㄹ → 각 ㅇㅁㅂ
- 각 ㄴㄱㄹ → 각 ㅅㅇㅁ

24일 합동인 두 도형 (1)

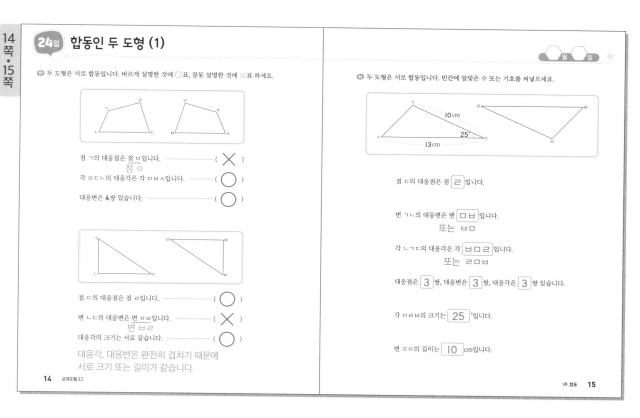

① 두 도형은 서로 합동입니다. 바르게 설명한 것에 ○표, 잘못 설명한 것에 ✕표 하세요.

점 ㄱ의 대응점은 점 ㅁ입니다. ────── (✕)
점 ㅇ

각 ㄹㄷㄴ의 대응각은 각 ㅁㅂㅅ입니다. ── (○)

대응변은 4쌍 있습니다. ────── (○)

점 ㄷ의 대응점은 점 ㄹ입니다. ────── (○)

변 ㄴㄷ의 대응변은 변 ㅁㅂ입니다. ── (✕)
변 ㅂㄹ

대응각의 크기는 서로 같습니다. ────── (○)

대응각, 대응변은 완전히 겹치기 때문에
서로 크기 또는 길이가 같습니다.

---

② 두 도형은 서로 합동입니다. 빈칸에 알맞은 수 또는 기호를 써넣으세요.

점 ㄷ의 대응점은 점 ㄹ 입니다.

변 ㄱㄴ의 대응변은 변 ㅁㅂ 입니다.
또는 ㅂㅁ

각 ㄴㄱㄷ의 대응각은 각 ㅂㅁㄹ 입니다.
또는 ㄹㅁㅂ

대응점은 3 쌍, 대응변은 3 쌍, 대응각은 3 쌍 있습니다.

각 ㅁㄹㅂ의 크기는 25 °입니다.

변 ㄹㅁ의 길이는 10 cm입니다.

정답

25일 합동인 두 도형 (2)

월 일

두 도형은 서로 합동입니다. 물음에 답하세요.

변 ㄱㄷ의 대응변을 써 보세요.

(변 ㄹㅁ)
또는 변 ㅁㄹ

변 ㄹㅂ은 몇 cm인가요?

(4)cm

변 ㄹㅂ의 대응변은 변 ㄱㄴ입니다.

각 ㅂㄹㅁ은 몇 도인가요?

(90)°

각 ㅂㄹㅁ의 대응각은 각 ㄴㄱㄷ입니다.

각 ㄹㅁㅂ은 몇 도인가요?

(30)°

$180° - 90° - 60° = 30°$

16 교과도형_E2

두 도형은 서로 합동입니다. 물음에 답하세요.

각 ㄱㄹㄷ의 대응각을 써 보세요.

(각 ㅅㅂㅁ)
또는 각 ㅁㅂㅅ

변 ㅁㅇ은 몇 cm인가요?

(14)cm

변 ㅁㅇ의 대응변은 변 ㄷㄴ입니다.

변 ㄱㄹ은 몇 cm인가요?

(8)cm

변 ㄱㄹ의 대응변은 변 ㅅㅂ입니다.

사각형 ㄱㄴㄷㄹ의 둘레는 몇 cm인가요?

(40)cm

$6 + 14 + 12 + 8 = 40(cm)$

1주.합동 **17**

물음에 답하세요.

직사각형 모양의 땅이 있습니다. 사각형 ㄱㄴㄷㅂ과 사각형 ㅂㄷㄹㅁ이 서로 합동이라면 직사각형 모양의 땅의 둘레는 몇 m일까요?

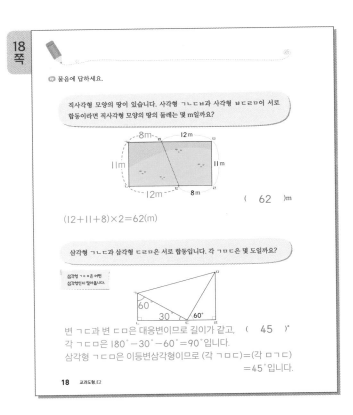

(62)m

$(12 + 11 + 8) \times 2 = 62(m)$

삼각형 ㄱㄴㄷ과 삼각형 ㄷㄹㅁ은 서로 합동입니다. 각 ㄱㅁㄷ은 몇 도일까요?

삼각형 ㄱㄷㅁ은 어떤 삼각형인지 알아봅니다.

변 ㄱㄷ과 변 ㄷㅁ은 대응변이므로 길이가 같고, (45)°
각 ㄱㄷㅁ은 $180° - 30° - 60° = 90°$입니다.
삼각형 ㄱㄷㅁ은 이등변삼각형이므로 (각 ㄱㅁㄷ) = (각 ㅁㄱㄷ)
$= 45°$입니다.

18 교과도형_E2

4 교과도형_E2

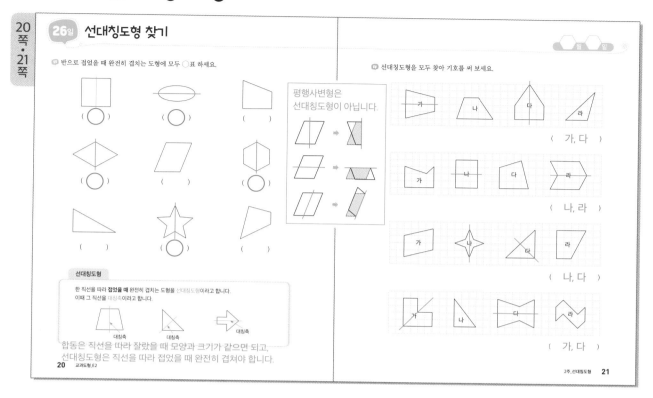

26일 선대칭도형 찾기

20쪽·21쪽

반으로 접었을 때 완전히 겹치는 도형에 모두 ○표 하세요.

평행사변형은
선대칭도형이 아닙니다.

선대칭도형

한 직선을 따라 **접었을 때** 완전히 겹치는 도형을 선대칭도형이라고 합니다.
이때 그 직선을 대칭축이라고 합니다.

대칭축   대칭축   대칭축

합동은 직선을 따라 잘랐을 때 모양과 크기가 같으면 되고,
선대칭도형은 직선을 따라 접었을 때 완전히 겹쳐야 합니다.

선대칭도형을 모두 찾아 기호를 써 보세요.

가   나   다   라
(가, 다)

가   나   다   라
(나, 라)

가   나   다   라
(나, 다)

가   나   다   라
(가, 다)

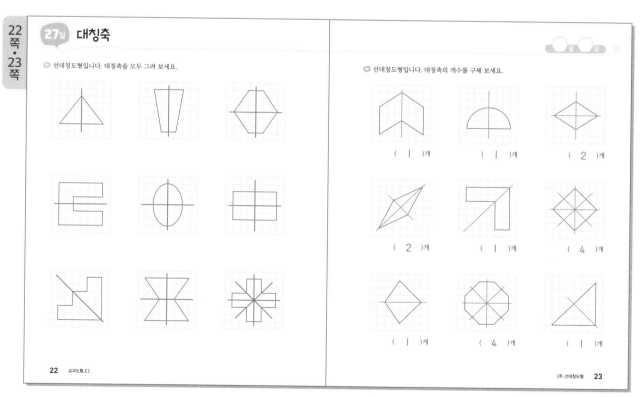

27일 대칭축

22쪽·23쪽

선대칭도형입니다. 대칭축을 모두 그려 보세요.

선대칭도형입니다. 대칭축의 개수를 구해 보세요.

(1)개   (1)개   (2)개

(2)개   (1)개   (4)개

(1)개   (4)개   (1)개

28일 도형과 대칭축

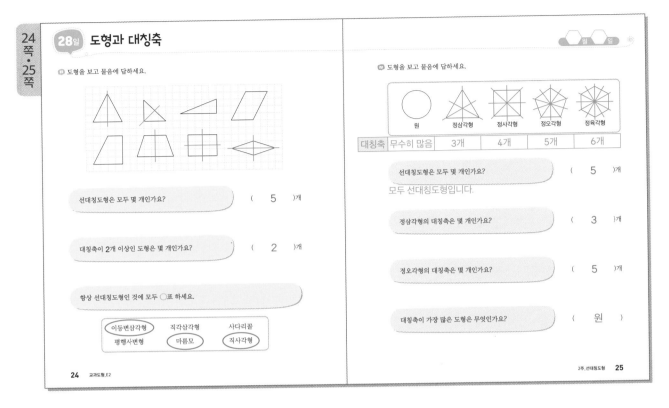

① 도형을 보고 물음에 답하세요.

선대칭도형은 모두 몇 개인가요?　(5)개

대칭축이 2개 이상인 도형은 몇 개인가요?　(2)개

항상 선대칭도형인 것에 모두 ○표 하세요.

(이등변삼각형)　직각삼각형　사다리꼴
평행사변형　(마름모)　(직사각형)

② 도형을 보고 물음에 답하세요.

	원	정삼각형	정사각형	정오각형	정육각형
대칭축	무수히 많음	3개	4개	5개	6개

선대칭도형은 모두 몇 개인가요?　(5)개

모두 선대칭도형입니다.

정삼각형의 대칭축은 몇 개인가요?　(3)개

정오각형의 대칭축은 몇 개인가요?　(5)개

대칭축이 가장 많은 도형은 무엇인가요?　(원)

24　교과도형_E2

2주_선대칭도형　25

29일 대응점, 대응변, 대응각

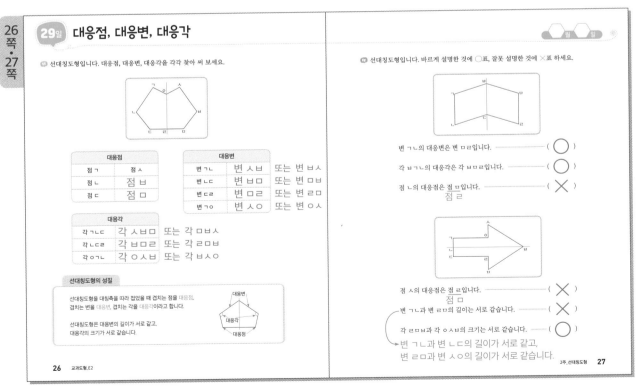

① 선대칭도형입니다. 대응점, 대응변, 대응각을 각각 찾아 써 보세요.

대응점	
점 ㄱ	점 ㅅ
점 ㄴ	점 ㅂ
점 ㄷ	점 ㅁ

대응변		
변 ㄱㄴ	변 ㅅㅂ	또는 변 ㅂㅅ
변 ㄴㄷ	변 ㅂㅁ	또는 변 ㅁㅂ
변 ㄷㄹ	변 ㅁㄹ	또는 변 ㄹㅁ
변 ㄱㅇ	변 ㅅㅇ	또는 변 ㅇㅅ

대응각		
각 ㄱㄴㄷ	각 ㅅㅂㅁ	또는 각 ㅁㅂㅅ
각 ㄴㄷㄹ	각 ㅂㅁㄹ	또는 각 ㄹㅁㅂ
각 ㅇㄱㄴ	각 ㅇㅅㅂ	또는 각 ㅂㅅㅇ

선대칭도형의 성질

선대칭도형을 대칭축을 따라 접었을 때 겹치는 점을 대응점,
겹치는 변을 대응변, 겹치는 각을 대응각이라고 합니다.

선대칭도형은 대응변의 길이가 서로 같고,
대응각의 크기가 서로 같습니다.

② 선대칭도형입니다. 바르게 설명한 것에 ○표, 잘못 설명한 것에 ✕표 하세요.

변 ㄱㄴ의 대응변은 변 ㅁㄹ입니다. ── (○)

각 ㅂㄱㄴ의 대응각은 각 ㅂㅁㄹ입니다. ── (○)

점 ㄴ의 대응점은 점 ㅁ입니다. ── (✕)
점 ㄹ

점 ㅅ의 대응점은 점 ㄹ입니다. ── (✕)
점 ㅁ

변 ㄱㄴ과 변 ㄹㅁ의 길이는 서로 같습니다. ── (✕)

각 ㄹㅁㅂ과 각 ㅇㅅㅂ의 크기는 서로 같습니다. ── (○)

변 ㄱㄴ과 변 ㄴㄷ의 길이가 서로 같고,
변 ㄹㅁ과 변 ㅅㅇ의 길이가 서로 같습니다.

26　교과도형_E2

2주_선대칭도형　27

30일 선대칭도형의 성질

◉ 직선 ㄱㄴ을 대칭축으로 하는 선대칭도형입니다. 빈칸에 알맞은 수를 써넣으세요.

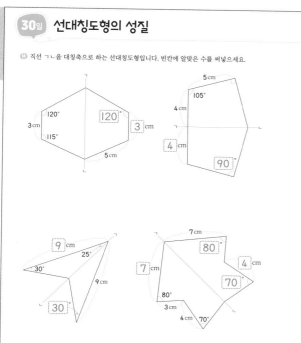

◉ 직선 ㅅㅇ을 대칭축으로 하는 선대칭도형입니다. 물음에 답하세요.

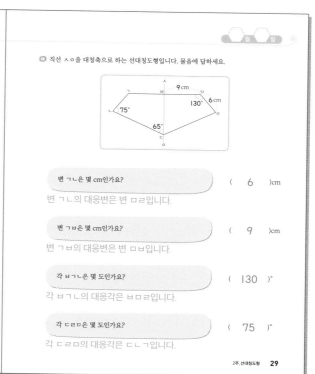

변 ㄱㄴ은 몇 cm인가요?   (6)cm

변 ㄱㄴ의 대응변은 변 ㅁㄹ입니다.

변 ㄱㅂ은 몇 cm인가요?   (9)cm

변 ㄱㅂ의 대응변은 변 ㅁㅂ입니다.

각 ㅂㄱㄴ은 몇 도인가요?   (130)°

각 ㅂㄱㄴ의 대응각은 ㅂㅁㄹ입니다.

각 ㄷㄹㅁ은 몇 도인가요?   (75)°

각 ㄷㄹㅁ의 대응각은 ㄷㄴㄱ입니다.

◉ 물음에 답하세요.

직선 ㄱㄴ을 대칭축으로 하는 선대칭도형입니다. 선대칭도형의 둘레는 몇 cm일까요?

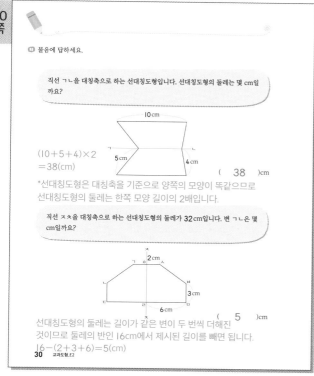

(10+5+4)×2
=38(cm)
(38)cm

*선대칭도형은 대칭축을 기준으로 양쪽의 모양이 똑같으므로 선대칭도형의 둘레는 한쪽 모양 길이의 2배입니다.

직선 ㅈㅊ을 대칭축으로 하는 선대칭도형의 둘레가 32cm입니다. 변 ㄱㄴ은 몇 cm일까요?

(5)cm

선대칭도형의 둘레는 길이가 같은 변이 두 번씩 더해진 것이므로 둘레의 반인 16cm에서 제시된 길이를 빼면 됩니다.
16−(2+3+6)=5(cm)

3주차 점대칭도형

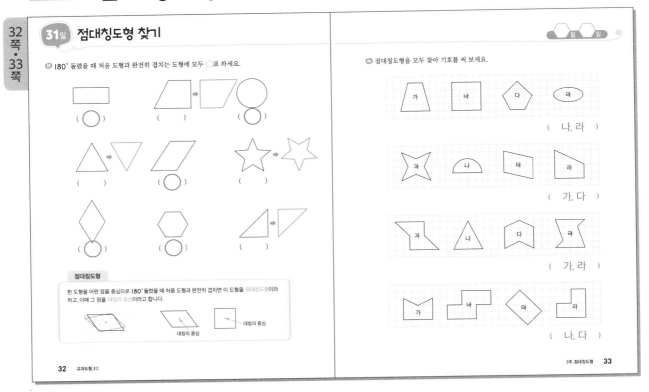

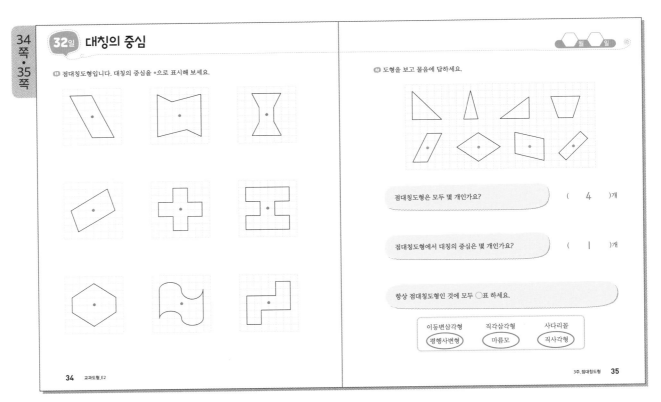

33일 선대칭과 점대칭

⑪ 도형을 보고 물음에 답하세요.

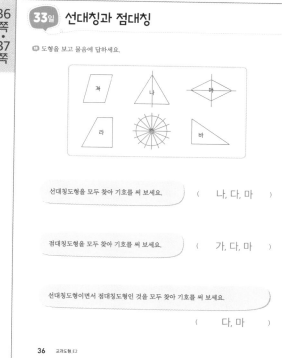

선대칭도형을 모두 찾아 기호를 써 보세요. (나, 다, 마)

점대칭도형을 모두 찾아 기호를 써 보세요. (가, 다, 마)

선대칭도형이면서 점대칭도형인 것을 모두 찾아 기호를 써 보세요.

(다, 마)

⑫ 모양 조각을 보고 물음에 답하세요.

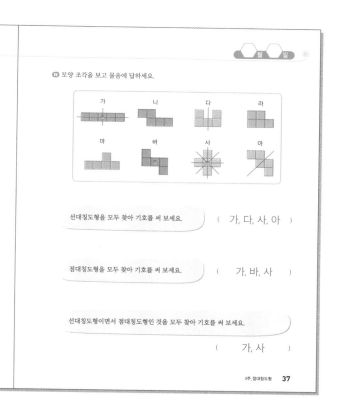

선대칭도형을 모두 찾아 기호를 써 보세요. (가, 다, 사, 아)

점대칭도형을 모두 찾아 기호를 써 보세요. (가, 바, 사)

선대칭도형이면서 점대칭도형인 것을 모두 찾아 기호를 써 보세요.

(가, 사)

34일 대응점, 대응변, 대응각

⑪ 점대칭도형입니다. 대응점, 대응변, 대응각을 각각 찾아 써 보세요.

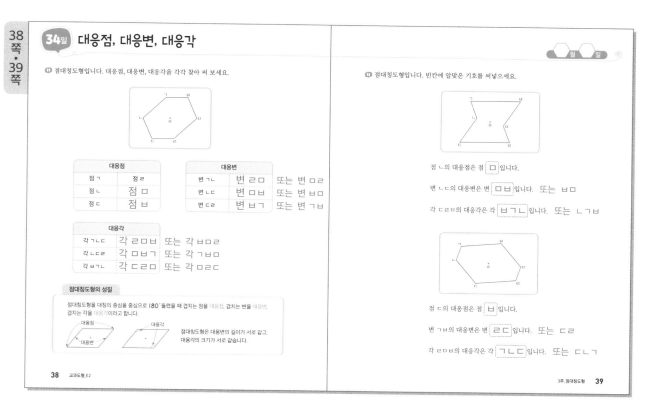

대응점	
점 ㄱ	점 ㄹ
점 ㄴ	점 ㅁ
점 ㄷ	점 ㅂ

대응변		
변 ㄱㄴ	변 ㄹㅁ	또는 변 ㅁㄹ
변 ㄴㄷ	변 ㅁㅂ	또는 변 ㅂㅁ
변 ㄷㄹ	변 ㅂㄱ	또는 변 ㄱㅂ

대응각		
각 ㄱㄴㄷ	각 ㄹㅁㅂ	또는 각 ㅂㅁㄹ
각 ㄴㄷㄹ	각 ㅁㅂㄱ	또는 각 ㄱㅂㅁ
각 ㅂㄱㄴ	각 ㄷㄹㅁ	또는 각 ㅁㄹㄷ

점대칭도형의 성질

점대칭도형을 대칭의 중심을 중심으로 180°돌렸을 때 겹치는 점을 대응점, 겹치는 변을 대응변, 겹치는 각을 대응각이라고 합니다.

점대칭도형은 대응변의 길이가 서로 같고, 대응각의 크기가 서로 같습니다.

⑫ 점대칭도형입니다. 빈칸에 알맞은 기호를 써넣으세요.

점 ㄴ의 대응점은 점 ㅁ 입니다.

변 ㄴㄷ의 대응변은 변 ㅁㅂ입니다. 또는 ㅂㅁ

각 ㄷㄹㅁ의 대응각은 각 ㅂㄱㄴ입니다. 또는 ㄴㄱㅂ

점 ㄷ의 대응점은 점 ㅂ 입니다.

변 ㄱㅂ의 대응변은 변 ㄹㄷ입니다. 또는 ㄷㄹ

각 ㄹㅁㅂ의 대응각은 각 ㄱㄴㄷ입니다. 또는 ㄷㄴㄱ

35일 **점대칭도형의 성질**

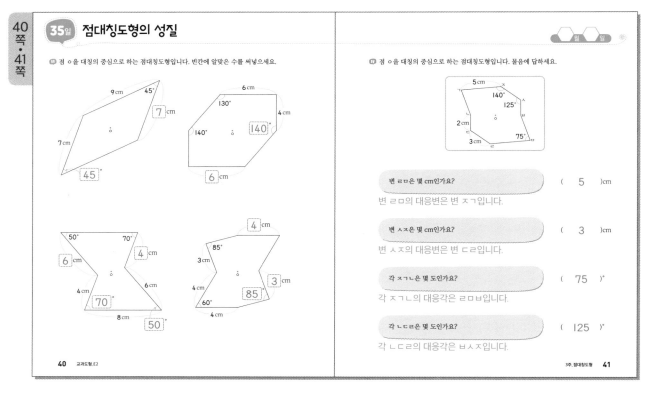

⑪ 점 ㅇ을 대칭의 중심으로 하는 점대칭도형입니다. 빈칸에 알맞은 수를 써넣으세요.

⑫ 점 ㅇ을 대칭의 중심으로 하는 점대칭도형입니다. 물음에 답하세요.

변 ㄹㅁ은 몇 cm인가요? (5)cm
변 ㄹㅁ의 대응변은 변 ㅈㄱ입니다.

변 ㅅㅈ은 몇 cm인가요? (3)cm
변 ㅅㅈ의 대응변은 변 ㄷㄹ입니다.

각 ㅈㄱㄴ은 몇 도인가요? (75)°
각 ㅈㄱㄴ의 대응각은 ㄹㅁㅂ입니다.

각 ㄴㄷㄹ은 몇 도인가요? (125)°
각 ㄴㄷㄹ의 대응각은 ㅂㅅㅈ입니다.

---

⑬ 물음에 답하세요.

점 ㅇ을 대칭의 중심으로 하는 점대칭도형입니다. 점대칭도형의 둘레는 몇 cm
일까요?

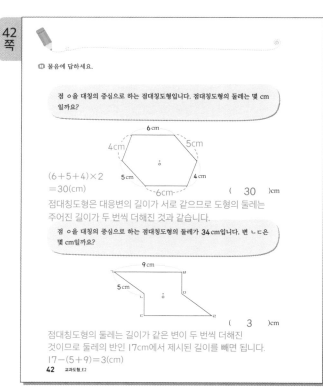

(6+5+4)×2
=30(cm)   (30)cm

점대칭도형은 대응변의 길이가 서로 같으므로 도형의 둘레는
주어진 길이가 두 번씩 더해진 것과 같습니다.

점 ㅇ을 대칭의 중심으로 하는 점대칭도형의 둘레가 34 cm입니다. 변 ㄴㄷ은
몇 cm일까요?

(3)cm

점대칭도형의 둘레는 길이가 같은 변이 두 번씩 더해진
것이므로 둘레의 반인 17cm에서 제시된 길이를 빼면 됩니다.
17-(5+9)=3(cm)

36일 합동인 도형 그리기

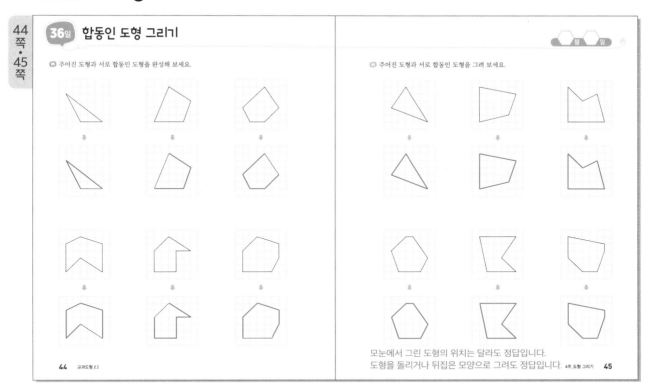

주어진 도형과 서로 합동인 도형을 완성해 보세요.

주어진 도형과 서로 합동인 도형을 그려 보세요.

모눈에서 그린 도형의 위치는 달라도 정답입니다.
도형을 돌리거나 뒤집은 모양으로 그려도 정답입니다.

37일 대응점끼리 잇기 (1)

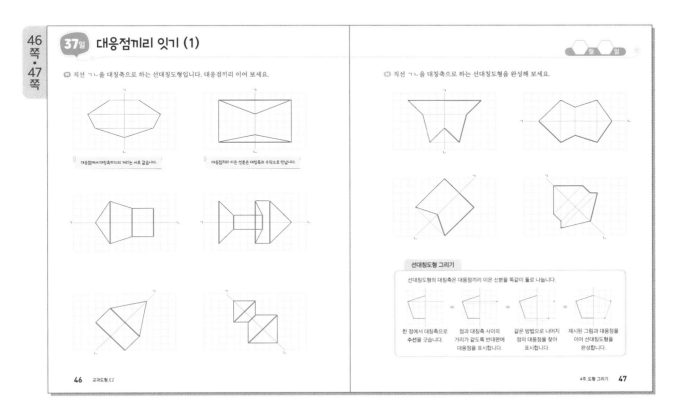

직선 ㄱㄴ을 대칭축으로 하는 선대칭도형입니다. 대응점끼리 이어 보세요.

직선 ㄱㄴ을 대칭축으로 하는 선대칭도형을 완성해 보세요.

대응점에서 대칭축까지의 거리는 서로 같습니다.

대응점끼리 이은 선분은 대칭축과 수직으로 만납니다.

선대칭도형 그리기

선대칭도형의 대칭축은 대응점끼리 이은 선분을 똑같이 둘로 나눕니다.

한 점에서 대칭축으로 수선을 긋습니다.

점과 대칭축 사이의 거리가 같도록 반대편에 대응점을 표시합니다.

같은 방법으로 나머지 점의 대응점을 찾아 표시합니다.

제시된 그림과 대응점을 이어 선대칭도형을 완성합니다.

정답

38일 선대칭도형 그리기

직선 ㄱㄴ을 대칭축으로 하는 선대칭도형을 완성해 보세요.

직선 ㄱㄴ을 대칭축으로 하는 선대칭도형을 완성해 보세요.

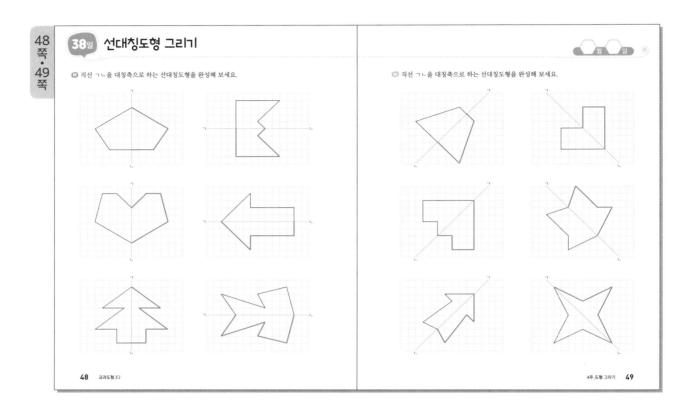

39일 대응점끼리 잇기 (2)

점 ㅇ을 대칭의 중심으로 하는 점대칭도형입니다. 대응점끼리 이어 보세요.

점 ㅇ을 대칭의 중심으로 하는 점대칭도형을 완성해 보세요.

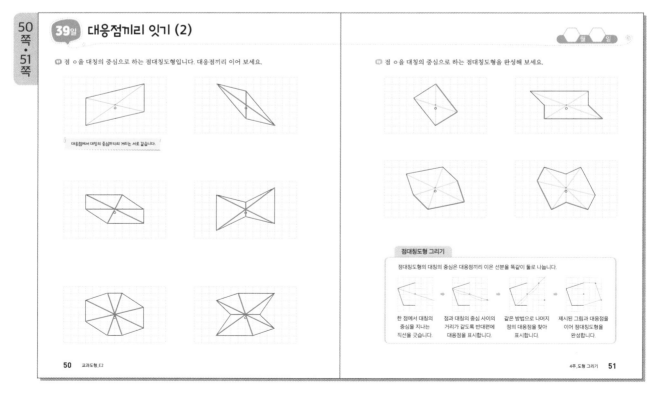

대응점에서 대칭의 중심까지의 거리는 서로 같습니다.

점대칭도형 그리기

점대칭도형의 대칭의 중심은 대응점끼리 이은 선분을 똑같이 둘로 나눕니다.

한 점에서 대칭의 중심을 지나는 직선을 긋습니다.

점과 대칭의 중심 사이의 거리가 같도록 반대편에 대응점을 표시합니다.

같은 방법으로 나머지 점의 대응점을 찾아 표시합니다.

제시된 그림과 대응점을 이어 점대칭도형을 완성합니다.

12   교과도형_E2

40일 점대칭도형 그리기

1 점 ㅇ을 대칭의 중심으로 하는 점대칭도형을 완성해 보세요.

2 점 ㅇ을 대칭의 중심으로 하는 점대칭도형을 완성해 보세요.

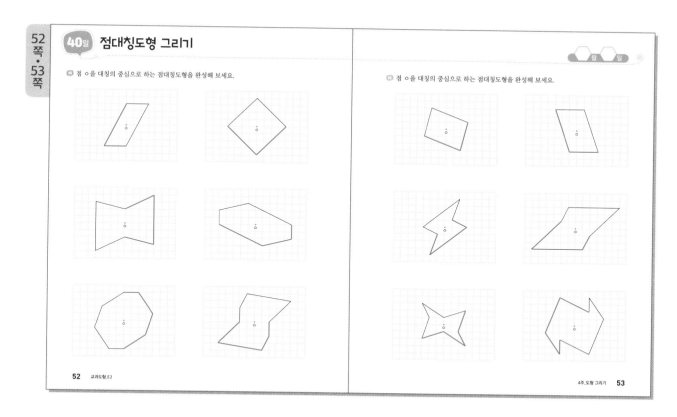

3 직선 ㄱㄴ을 대칭축으로 하는 선대칭도형과 점 ㅇ을 대칭의 중심으로 하는 점대칭도형을 각각 완성해 보세요.

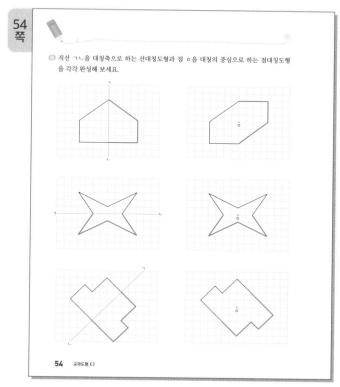

정답

도형플러스+ 문자와 대칭

PLUS 1 선대칭과 점대칭

▶ 0부터 9까지의 디지털 숫자가 있습니다. 물음에 답하세요.

0 1 2 3 4 5 6 7 8 9

선대칭도형인 숫자를 모두 찾아 써 보세요.

0 1 3 8 (0, 1, 3, 8)

점대칭도형인 숫자를 모두 찾아 써 보세요.

0 1 2 5 8 (0, 1, 2, 5, 8)

선대칭도형이면서 점대칭도형인 숫자를 모두 찾아 써 보세요.

(0, 1, 8)

▶ 알파벳을 보고 물음에 답하세요.

A F I S P D O Z

선대칭도형인 알파벳을 모두 찾아 써 보세요.

A I D O (A, I, D, O)

점대칭도형인 알파벳을 모두 찾아 써 보세요.

I S O Z (I, S, O, Z)

선대칭도형이면서 점대칭도형인 알파벳을 모두 찾아 써 보세요.

(I, O)

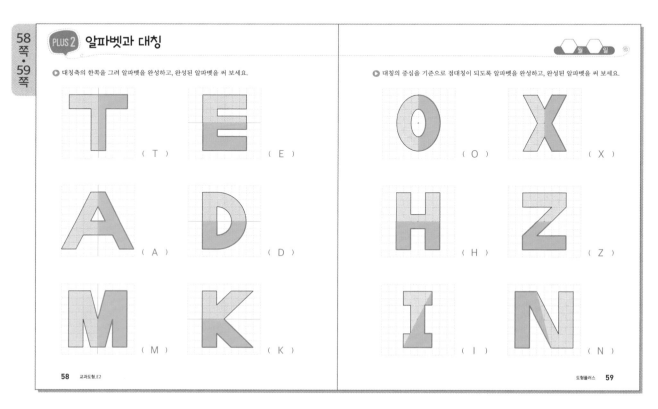

PLUS 2 알파벳과 대칭

▶ 대칭축의 한쪽을 그려 알파벳을 완성하고, 완성된 알파벳을 써 보세요.

T (T) E (E)

A (A) D (D)

M (M) K (K)

▶ 대칭의 중심을 기준으로 점대칭이 되도록 알파벳을 완성하고, 완성된 알파벳을 써 보세요.

O (O) X (X)

H (H) Z (Z)

I (I) N (N)

PLUS 3 글자와 대칭

대칭축의 한쪽을 그려 자음을 완성하고, 완성된 자음을 써 보세요.

대칭축의 한쪽을 그려 글자를 완성하고, 완성된 글자를 써 보세요.

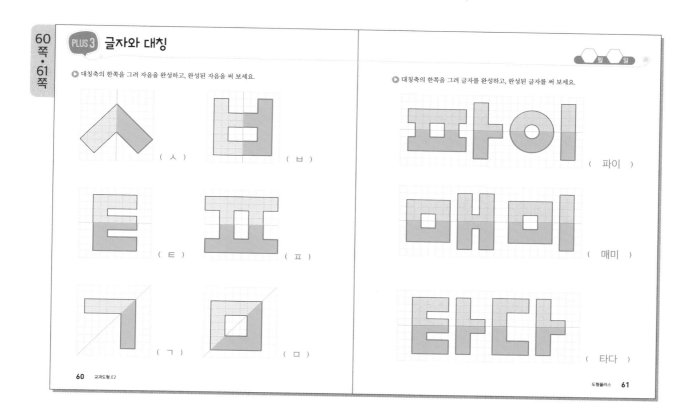

(ㅅ)

(ㅂ)

(ㅌ)

(ㅍ)

(ㄱ)

(ㅁ)

(파이)

(매미)

(타다)

정답

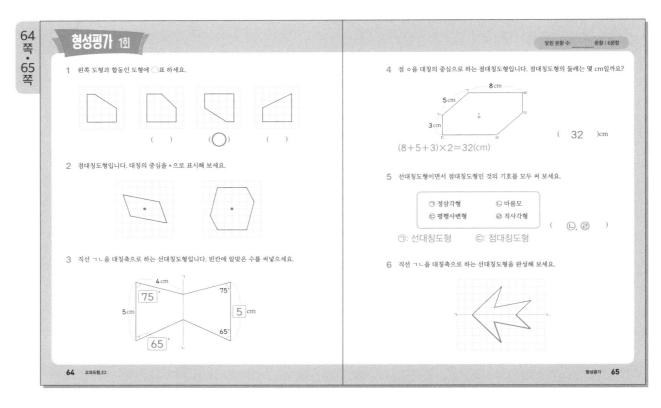

형성평가 1회

맞힌 문항 수: _____ 문항 / 6문항

1 왼쪽 도형과 합동인 도형에 ○표 하세요.

( ) (○) ( )

2 점대칭도형입니다. 대칭의 중심을 •으로 표시해 보세요.

3 직선 ㄱㄴ을 대칭축으로 하는 선대칭도형입니다. 빈칸에 알맞은 수를 써넣으세요.

4 cm
75° 75°
5 cm 5 cm
65°
65°

4 점 ㅇ을 대칭의 중심으로 하는 점대칭도형입니다. 점대칭도형의 둘레는 몇 cm일까요?

8 cm
5 cm
3 cm

(32)cm

(8+5+3)×2=32(cm)

5 선대칭도형이면서 점대칭도형인 것의 기호를 모두 써 보세요.

| ㉠ 정삼각형 | ㉡ 마름모 |
| ㉢ 평행사변형 | ㉣ 직사각형 |

(㉡, ㉣)

㉠: 선대칭도형 ㉡: 점대칭도형

6 직선 ㄱㄴ을 대칭축으로 하는 선대칭도형을 완성해 보세요.

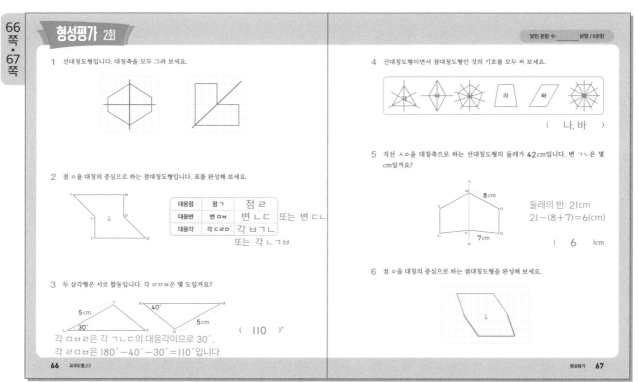

형성평가 2회

맞힌 문항 수: _____ 문항 / 6문항

1 선대칭도형입니다. 대칭축을 모두 그려 보세요.

2 점 ㅇ을 대칭의 중심으로 하는 점대칭도형입니다. 표를 완성해 보세요.

대응점	점 ㄱ	점 ㄹ
대응변	변 ㅁㅂ	변 ㄴㄷ 또는 변 ㄷㄴ
대응각	각 ㄷㄹㅁ	각 ㅂㄱㄴ 또는 각 ㄴㄱㅂ

3 두 삼각형은 서로 합동입니다. 각 ㄹㅁㅂ은 몇 도일까요?

5 cm
30°
40°
5 cm

(110)°

각 ㅁㅂㄹ은 각 ㄱㄴㄷ의 대응각이므로 30°,
각 ㄹㅁㅂ은 180°−40°−30°=110°입니다.

4 선대칭도형이면서 점대칭도형인 것의 기호를 모두 써 보세요.

| 가 | 나 | 다 | 라 | 마 | 바 |

(나, 바)

5 직선 ㅅㅇ을 대칭축으로 하는 선대칭도형의 둘레는 42cm입니다. 변 ㄱㄴ은 몇 cm일까요?

8 cm
7 cm

둘레의 반: 21cm
21−(8+7)=6(cm)

(6)cm

6 점 ㅇ을 대칭의 중심으로 하는 점대칭도형을 완성해 보세요.

"한 권이면 충분합니다."

도형을 다양한 문장과 그림,
수식으로 표현합니다.

감각
sense

표현
expression

측정
measurement

도형 학습의 바탕이 되는
공간감각을 길러줍니다.

측정을 더하여
도형 학습을 완성합니다.